ON T'ENVERRA DU MONDE

DU MÊME AUTEUR

Dans la même collection :

Laissez tomber la fille.
Les souris ont la peau tendre.
Mes hommages à la donzelle.
Du plomb dans les tripes.
Des dragées sans baptême.
Des clientes pour la morgue.
Descendez-le à la prochaine.
Passez-moi la Joconde.
Sérénade pour une souris défunte.
Rue des Macchabées.
Bas les pattes.
Deuil express.
J'ai bien l'honneur de vous buter.
C'est mort et ça ne sait pas.
Messieurs les hommes.
Du mouron à se faire.
Le fil à couper le beurre.
Fais gaffe à tes os.
A tue... et à toi.
Ça tourne au vinaigre.
Les doigts dans le nez.
Au suivant de ces messieurs.
Des gueules d'enterrement.
Les anges se font plumer.
La tombola des voyous.
J'ai peur des mouches.
Le secret de Polichinelle.
Tu vas trinquer, San-Antonio.
En long, en large et en travers.
La vérité en salade.
Prenez-en de la graine.
San-Antonio met le paquet.
Entre la vie et la morgue.
Tout le plaisir est pour moi.
Du sirop pour les guêpes.
Du brut pour les brutes.
J' suis comme ça.
San-Antonio renvoie la balle.
Berceuse pour Bérurier.
Ne mangez pas la consigne.
La fin des haricots.
Y'a bon, San-Antonio.
De « A » jusqu'à « Z ».
San-Antonio chez les Mac.
Fleur de nave vinaigrette.
Ménage tes méninges.
Le loup habillé en grand-mère.
San-Antonio chez les « gones ».
San-Antonio polka.
En peignant la girafe.
Le coup du père François.
Du poulet au menu.
Le gala des emplumés.
Votez Bérurier.
Bérurier au sérail.
La rate au court-bouillon.
Vas-y Béru !
Tango chinetoque.
Salut, mon pope !
Mange et tais-toi.
Faut être logique.
Y'a de l'action !
Béru contre San-Antonio.
L'archipel des Malotrus.
Zéro pour la question.
Bravo, docteur Béru.
Viva Bertaga.
Un éléphant, ça trompe.
Faut-il vous l'envelopper ?
En avant la moujik.
Ma langue au Chah.
Ça mange pas de pain.
N'en jetez plus !
Moi, vous me connaissez ?
Emballage cadeau.
Appelez-moi chérie.
T'es beau, tu sais !
Ça ne s'invente pas !
J'ai essayé : on peut !
Un os dans la noce.
Les prédictions de Nostrabérus.
Mets ton doigt où j'ai mon doigt.
Si, signore.
Maman, les petits bateaux.
La vie privée de Walter Klozett.
Dis bonjour à la dame.
Certaines l'aiment chauve.
Concerto pour porte-jarretelles.
Sucette boulevard.
Remets ton slip, gondolier.

Hors série :
L'Histoire de France.
Le standinge.
Béru et ses dames.
Les vacances de Bérurier.
Béru-Béru.
La sexualité.
Les Con.
Si « Queue-d'âne » m'était conté.

Œuvres complètes :
Seize tomes déjà parus.

SAN-ANTONIO

ON T'ENVERRA DU MONDE

ROMAN

ÉDITIONS FLEUVE NOIR
69, Bd Saint-Marcel -PARIS-XIIIe

ISBN 2-265-00326-3

CHAPITRE PREMIER

Félicie ne s'est jamais trouvée à pareille fête.

Ça faisait pourtant un paquet d'années que je lui promettais de l'amener au Gala de la Police du XXIIe arrondissement. C'est le genre de petit événement extra mondain qui marque la vie parisienne.

Enfin, cette fois j'ai pu me débrouiller pour me rendre libre et ma brave femme de mère s'est fait faire par sa couturière une robe tout ce qu'il y a de distingué avec trois cols superposés et un jabot de dentelle à côté duquel celui de mon pote Louis Quatorze ressemble à une pochette de premier communiant.

Vous me croirez si vous voulez, mais ma bonne Félicie s'est enhardie dans la débauche jusqu'à se passer un nuage de poudre de riz sur le museau. Et puis, comme elle tient au standing de son hoir, elle s'est noué autour du cou un ruban de velours qui lui donne l'air d'une vieille marquise.

Bref, c'est la grande journée. Le spectacle se déroule en la salle des trouble-fêtes, sous le haut patronage du fils du cousin du frère aîné du Préfet de Police, et avec la participation de M. Stanislas Kelbomek, de la légation de Pologne, du vice-amiral Kichi-Duho-Dumâ, et de sir John Malfringay, vice-super chancelier de l'ordre de la Jarretière et de la Gaine Scandale réunies.

Notez également dans l'assistance le commandant des gardiens de la paix du XXIIe, une délégation de la compagnie des sapeurs-pompiers de Maisons-Laffitte (dont la devise est : « Sapeur et sans reproche »), ainsi qu'un envoyé du « Petit Écho de la Mode ». Le programme est de qualité. Jugez-en plutôt : nous avons entendu pour commencer, le sous-brigadier Contredanse, baryton à combustible solide, dans « Viens Poupoule, Julie la Rousse et Tends-moi ta chère menotte », et maintenant c'est la chorale des petits chanteurs du Panier à Salade qui nous gazouille « J'ai du bon passage à tabac dans ma tabatière ! ».

— Ces enfants ont une voix d'une pureté ! murmure Félicie à mon oreille.

On s'attend à une deuxième bramée des petits

prodiges lorsque le haut-parleur se met à vociférer :

— Le commissaire San-Antonio est réclamé d'urgence au vestiaire !

Vous parlez d'une pommade ! Ma pauvre Félicie manque de s'étrangler avec son ruban de velours. Elle me jette un regard navré.

— Attends-moi, lui soufflé-je, je vais voir de quoi y retourne.

Et de me lever sous les regards admiratifs de l'assistance, tandis que les petits chanteurs entonnent « La Polka des Bourriques ».

Je remonte l'allée principale jusqu'à la sortie (laquelle sortie sert aussi d'entrée lorsqu'on l'emprunte dans le sens inverse) et je débouche dans ce que les organisateurs appellent pompeusement le vestiaire et qui sert de remise à l'ambulance municipale en temps ordinaire. On a décoré le hangar de guirlandes bariolées et on y a dressé un stand dans lequel des femmes et des filles de gardiens de la paix numérotent des pardessus ou servent des Vérigoud citron.

Qui vois-je, adossé au stand, mais indifférent aux boissons qu'il recèle ? Mon ami et collaborateur Bérurier, bien en chair et le cas échéant en os. Le Gros est dans un état lamentable. Il ne s'est pas rasé depuis trois jours, et son piège à macaroni a blanchi. Il a le teint gris ; les yeux en parallélogramme, la bouche tombante... Il porte un complet trempé de pluie et, en guise de chemise, un vieux pyjama enfilé à l'envers, dont le label m'apprend qu'il fut acheté à la Samaritaine en des temps très anciens.

— C'est toi qui me fais demander? grommelé-je.

— Oui, San-A.

— Qu'est-ce qui te prend ? Et d'ailleurs je te croyais grippé, ça fait deux jours que tu te fais porter pâle ?

Il tire sur les bords gondolés de son bitos.

— J'étais pas malade, San-A... Seulement, il m'arrive un de ces turbins...

Il n'en peut plus. J'ai devant moi un mec complètement épuisé. Un homme vidé, crouni, qui dit « pouce ». Il me fait pitié. Deux grosses larmes épaisses comme de la vaseline coulent. Je pose sur son épaule une main compatissante.

— Eh bien ! Eh bien, Gros, t'as tes vapeurs ?

— M'en parle pas, balbutie-t-il, je suis un mec terminé !

— On en reparlera quand tu seras dans ton costar en planches, dis-moi un peu ce qui ne carbure pas ?

— Ma femme a disparu, lâche le Gros.

Et de ponctuer cette révélation par un barrissement qui fêlerait une plaque de blindage.

Moi, au lieu de m'amadouer, ça me fout en renaud. Si encore sa baleine était cannée, je comprendrais qu'il vienne chanstiquer ma journée et celle de Félicie. Mais ça fait des millénaires que la mère Béru le cocufie au-delà de toutes expressions. Des années et des années qu'il est au courant de son infortune et qu'il la tolère !

— C'est pour m'apprendre ça que tu viens à la relance jusqu'ici !

— Tu comprends donc pas, San-A. ! Je suis mort d'inquiétude !

— Pauvre cloche ! Elle s'est barrée avec le coiffeur, ta bonne femme ! Elle reviendra, va !

— Mais non ! Au début, moi aussi, j'ai cru qu'elle était partie avec mon ami Alfred... C'est justement lundi qu'elle s'est taillée... Jour de fermeture des merlans ! Ça m'a rendu malade mais j'ai pas ameuté la garde pour autant. Je suis resté chez nous à l'attendre... Une fois déjà, en 34, elle avait mis les adjas avec l'oculiste d'à côté... Ça avait duré deux jours, et elle était revenue !

— Eh bien, alors !

— Attends ! Cet aprême, coup de sonnette à la cambuse... Je me magne pour délourder... Et qui je trouve ? Je te le donne en mille ! Alfred ! Je me dis, ce cornichon vient te faire des excuses et t'annoncer que Berthe entre au bercail...

Mais des clous ! Il venait aux renseignements parce que lui non plus n'a pas vu Berthe depuis lundi ! T'entends, Tonio ? Ma bergère a disparu ! Disparu !

J'évoque fugitivement l'importante silhouette de la mère Bérurier. Cette poupée de cent dix kilogrammes ne me paraît pas à priori douée pour l'escamotage. Elle a tout ce qu'il faut pour décourager l'illusionniste le plus entraîné.

— Écoute, bonhomme, fais-je au Gros, je compatis à ta douleur et à celle de ton ami le pommadin, mais faut vous faire une raison tous les deux : ta gravosse s'est dégauchi une troisième portion...

— Tu crois ?

— Ben, réfléchis : si elle était cannée sur la voie publique on en aurait entendu parler, non ? C'est pas le genre de femme qu'on peut confondre avec une peau de banane !

Bérurier hoche la tête avec incertitude. L'anxiété lui bouffe les yeux. Il a, sous les lampions, des poches grandes comme des valises diplomatiques.

— San-A. ! Si ma bonne femme m'avait quitté, primo, elle me l'aurait dit pour ne pas perdre une occasion de m'embêter, et deuxio, elle aurait emporté des effets personnels, voyons ! Tu connais Berthe ? Elle est si près de ses sous qu'on pourrait pas mettre une feuille de papier à cigarettes entre eux !

— Tu t'imagines qu'elle va mouler ses bijoux,

son manteau de fourrure en mouton crispé véritable, le service en porcelaine de Sèvres-Babylone et tout le circus pour un cavillon ? Des clous... Je connais Berthe.

Le Gros s'est animé comme des dessins sous la main de Walt Disney. Il s'arrache un poil d'oreille et le dépose aimablement sur le poudrier en cuivre massif de la dame du vestiaire, laquelle suit notre conversation avec un intérêt qui ferait pâlir un usurier.

— Tiens, l'année dernière, pour te la situer, elle a eu une conclusion intestinale...

— Occlusion ! coupé-je.

— Oui, eh ben, à l'hosto, elle m'a réclamé son coffret à bijoux, ses napoléons et le couteau à tarte parce qu'il a un manche en argent ; elle avait peur que je profite de son occasion intestinale pour fourguer ses trésors...

« Tu vois la mentalité ? »

Cet afflux d'arguments me laisse perplexe.

— Bon, alors ? Qu'envisages-tu ? demandé-je.

Il lève ses bras courtauds. Une salve d'applaudissements crépite dans la salle des fêtes, marquant le dernier si bémol galvanisé des petits chanteurs...

— C'est justement parce que je ne sais plus que penser qu'on est venu te trouver, se lamente Bérurier. On se perd en conjonction...

— Qui, ON ?

— Ben : le coiffeur et moi. Attention, par ici, il m'attend dans la bagnole.

Assez médusé, j'emboîte le pas à mon honorable collègue.

Le coiffeur est en effet dans la voiture, avec l'air encore plus catastrophé que Béru. Je le connais pour l'avoir rencontré à différentes reprises chez le Gros. C'est un individu sans grande importance collective. Il est fluet, brunet, neutre et cadoriciné. Il se précipite sur moi, m'empoigne la dextre, me la secoue et, avec des sanglots dans la voix, bredouille :

— Il faut la retrouver, monsieur le commissaire... Il le faut !

Ces pauvres chers veufs ! Je leur téléphone un regard de compassion. Sans leur baleine ils sont foutus. Leur vie est vide. Faut dire qu'elle tient de la place, la mère Béru. M'est avis qu'ils doivent se relayer pour lui refiler de l'extase. Vaincre l'Annapurna c'est pas plus coton !

Le coiffeur sent le pétrole. Le pétrole Hann naturlich, plus l'Houbigant, plus la brillantine Roja-Flore... Il verse des larmes parfumées au jasmin et quand il éternue on a l'impression qu'il vous offre une botte d'œillets.

— NOTRE pauvre Berthe, se lamente ce coupeur de cheveux en quatre... Qu'a-t-il pu lui advenir, monsieur le commissaire ?

— Tu as prévenu le Service des Recherches

dans l'Intérêt des Familles ? demandé-je à la Gonfle.

Le Mahousse secoue la tête.

— T'es malade ! Tu m'imagines, moi, un poulet, allant pleurnicher chez les confrères comme quoi ma moitié s'est taillée !

Sa moitié ! Il voit petit, Béru... Mettons ses trois quarts et n'en parlons plus.

Des vomissures de violon nous éclaboussent, provenant de la salle des fêtes. Si j'en crois le programme ronéotypé, c'est l'adjudant Pétardier qui racle « Laissez pleurer mon âme », chanson tendre en trois couplets et un procès-verbal.

Sa musique déchirante (pour les tympans normalement constitués) ajoute à l'émotion des deux veufs.

Je réprime un sourire, puis je m'efforce de devenir professionnel.

— Voyons, messieurs, lequel de vous deux a vu Mme Bérurier pour la dernière fois ?

— C'est Alfred, déclare le Gros sans la moindre hésitation, ni la moindre gêne.

— Racontez, dis-je brièvement au champion de la taille-rasoir.

Il gratte son occiput d'un index prudent.

— Je... Heu, voilà, lundi c'est mon jour de...

— Je sais, votre jour de gloire...

Il se prend un peu les pieds dans les rideaux,

M. Frisottin... Bien qu'étant d'un niveau intellectuel nettement inférieur à celui de la mer, il devine mon mépris profond à travers mes sarcasmes.

— J'ai vu Mme Bérurier dans l'après-midi...

— Elle est allée chez vous ?

— C'est-à-dire...

— C'est-à-dire oui, ou c'est-à-dire non ?

Le Gros me touche le bras.

— Ne bouscule pas Alfred, murmure-t-il, il est assez peiné comme ça !

Le racleur d'épiderme me tend son visage éploré, comme les bourgeois de Calais devaient tendre au grand méchant roi les clés de leur patelin (s'ils l'avaient déclaré ville ouverte, ça ne leur serait pas arrivé).

— Oui, balbutie-t-il, d'une voix savonneuse... Berthe est venue prendre le café chez moi !

— A quelle heure en est-elle repartie ?

— Quatre heures environ...

— Vous avez torché la cafetière, à ce que je vois...

Nouvelle exhortation au calme du Gros qui semble tenir à la félicité de son coéquipier comme à la prunelle de chez Cusenier qu'il boit à même le goulot dans les cas graves.

— Elle est partie seule ?

— Naturellement !

— Vous auriez peut-être pu l'accompagner ?

— Non, j'attendais un représentant pour un nouveau séchoir par catalyse à friction bilatérale...

— A-t-elle fait une allusion à l'endroit où elle se rendait en quittant votre domicile ?

Il réfléchit sous ses crins gominés.

— Oui, elle m'a dit qu'elle allait aux Champs-Élysées pour s'acheter du tissu...

— C'est vrai, barrit le Gravos, elle m'en causait au déjeuner... Elle voulait du tissu pied-de-poule couleur coq-de-roche...

— Et dans quel magasin comptait-elle acheter cette basse-cour ?

— Chez Corot, je crois...

Je gamberge un chouïa, puis j'attire Béru à l'écart. Nous sommes sous les fenêtres ouvertes de la salle aux prix où l'adjudant Pétardier continue d'arracher les entrailles de son violon.

— Dis-moi, Gros, t'as confiance en ton ami Alfred ?

— Comme en moi-même, affirme cette merveilleuse incarnation du cocu-bien-de-chez-nous.

— Tu sais que les merlans ont parfois le rasoir farceur... Tu vois pas qu'il se soit amusé à détailler ta gravosse ?

In petto, je suis le premier à réfuter pareille hypothèse. Pour découper la mère Béru, c'est pas un rasoir, mais un chalumeau oxhydrique qu'il faudrait !

— T'es dingue, non ! mugit Béru... Alfred, zigouiller Berthe ? Et pourquoi qu'il aurait fait ça ?

— Crime passionnel ?

— Elle est bonne. Les crimes passionnels, ce sont des amours contrariées ! Qu'est-ce qui pouvait contrarier...

Il se tait, gêné par l'énormité de ce qu'il allait dire.

— Peut-être que ta femme vous trompait avec un troisième homme ? suggérai-je...

Là-dessus, comme dans une séquence bien réglée, le violoniste se met à jouer Café Mozart !

Le Gros fulmine.

— Non mais, pour qui que tu la prends, notre Berthe ! Pour une Marie-couche-toi-là !

Alors là, c'en est trop pour votre ravissant petit San-Antonio. J'envoie mon collaborateur au bain en port payé, toutes taxes comprises.

— Tu me les brises avec ta vioque, Béru... T'attends quoi ? Que je t'apprenne ton job ? T'es cocu, mais t'es flic... Alors, magne-toi pour retrouver ta gerce. Enquête dans l'immeuble du coiffeur. Et puis, va chez Corot avec une photo de la Berthe, peut-être qu'on l'a vue. On doit pas l'oublier facilement...

Il puise dans sa poche un ignoble mégot, le

glisse entre ses lèvres et l'enflamme en trouvant le moyen de se brûler les poils du naze.

— Bon, je crois que tu as raison, San-A. Je vais enquêter...

— C'est ça, et fais comme si ce n'était pas pour toi.

Je lui claque les reins.

— En fin de soirée, je passerai chez toi.

— Merci, San-A. T'es un frère !

Il rejoint son associé à part entière et tous deux disparaissent cahin-caha dans des vapeurs d'échappement.

Je regagne ma place au moment où deux gardiens de la paix duettistes : Jean Passe et Desmeilleurs, entonnent une tyrolienne à air comprimé avec éjection automatique.

— Qu'est-ce que c'était ? chuchote Félicie angoissée.

— Bérurier qui avait besoin d'un renseignement .. Il voulait savoir quelle est la meilleure méthode à employer pour retrouver sa femme...

Ma brave femme de mère soupire.

— Le pauvre homme !

Là-dessus, mon attention est distraite par le pied de ma voisine de gauche qui vient de rencontrer le mien. C'est une gentille brunette qui en vaut une autre.

Nos deux godasses font connaissance. La sienne vient de chez Manon, la mienne de chez

Bailly. Les parents de la sienne étaient veaux, ceux de la mienne daims. Ils sont donc faits pour s'entendre.

CHAPITRE II

Le soir de cette même journée, fidèle à ma promesse, je décide d'aller faire un viron chez le gars Bérurier. Je laisse Félicie en tête à tête avec M. Claude Darget qui lui explique les mœurs du Grand ongulé dans la forêt équatoriale.

La mésaventure de mon collègue n'est pas pour me surprendre. La vie est bondée de mecs qui viennent chialer sur votre cravate parce que leurs nanas ont dégauchi des zigs qui leur mettent mieux les doigts de pied en bouquet de violettes. On a envie de leur dire qu'il convient de se faire une raison, mais la raison et le cœur se sont toujours foutus sur la figure chaque fois qu'on les a mis en présence.

A bien y réfléchir, je suis à peu près certain que la mère Béru joue les Juliette avec un Roméo de son quartier. Cette bonne truie pose un problo que le professeur Oppenheimer soi-même ne pourrait résoudre. Enfin quoi, voilà un tas de viande qui soulèverait l'estomac d'un nécrophage, ça a des moustaches plus drues que celles du docteur Schweitzer ; des verrues poilues qui obtiendraient la médaille d'or dans une exposition de cactées ; un nez tellement rouge que les bagnoles freinent à mort en l'apercevant ; ça chlingue le rance ; c'est adipeux, gélatineux, suifeux ; ça a des bras comme des cuisses et des cuisses comme des tonneaux et ça a une clientèle fervente.

Qu'y comprenez-vous, les mecs ! Vous ne pensez pas que dans le fond c'est rassurant ? Après tout, ce serait trop locdu s'il n'y avait de place en ce monde que pour les B.B., on y croise déjà assez de grands C, d'A-B et de M.R.P. !

Le Gros pioge dans un immeuble vétuste dont le rez-de-chaussée est occupé par un troquet — ô ! harmonie des hasards ! — Avant de me farcir ces deux étages, je coule un regard à l'intérieur du bistrot. Et qui vois-je, le verre en main, le rire en bouche et l'œil hydraté ? Béru, le coiffeur et cette bonne Mme Jambe-en-l'air... Elle a rejoint sa base, la gravosse !

Un peu furax sur les bords, j'enfonce le bec-de-cane. En m'apercevant, Bérurier se démerde de vider son glass et se précipite sur moi comme un m'sieur-l'agent sur une bagnole stoppée en double file.

— Ah ! mon San-Antonio ! brame l'Enflure,

bourré jusqu'aux sourcils inclus. Ah ! mon San-Antonio, quelle... heug... aventure !

De plus en plus remonté contre ce trio ahurissant, je stoppe ses exclamations.

— Pas de familiarité avec vos supérieurs, inspecteur Bérurier. Je vous en prie !

Il s'arrête, médusé.

Je l'écarte de mon chemin d'une bourrade autoritaire et je me plante devant la mère Fantomas.

— Alors, chère madame, fais-je comme ça, très noble et très olympien, à quoi jouez-vous ? A cache-cache ou à chat-perché ?

La mère Béru n'est pas le genre de rombière qu'on manie facilement, même avec un palan. Elle met ses dix saucisses de Francfort sur ce qui devrait être ses hanches et fulmine :

— Dites, commissaire, faudrait voir à pas le prendre sur ce ton ! Après ce qui vient de m'arriver, je le permettrai pas !

Alfred, le délayeur de gomina, prend illico les crosses de son bon-poids.

Protégé par les deux cent quarante livres de sa maîtresse, il laisse dégouliner sa bile. Il persifle, susurre, insinue, ironise. Il me dit que les flics ne sont bons qu'à jouer les gros bras ; qu'ils ne terrorisent que les honnêtes gens et que les truands se foutent de leur hure comme de l'an 40. Il prétend que nous ne sommes en réalité qu'une organisation de teigneux, de miteux, de ramollis... Le patron du bistrot se marre comme un congrès international de bossus.

Cet endoffé de Gros émet des « Tsst, tsst ! » éplorés sur une longueur d'onde trop facile à brouiller. Et votre ami San-Antonio commence sérieusement à se demander s'il va déguiser le marchand de frictions en terrine de coiffeur ou en ravioli.

Je le chope par la cravate et, l'étouffant un peu pour freiner ses sarcasmes, je lui murmure d'un ton sans réplique :

— Toi, le lavement, écrase ou ce qui restera de toi pourra être vaporisé !

Il la boucle instantanément et devient d'un beau vert comme ses lotions à la fougère.

— Maintenant, racontez ! dis-je à la grosse.

Si elle pouvait me flanquer la fessée, elle n'hésiterait pas, la Berthe ! Son regard globuleux me fait songer à l'enseigne d'un opticien.

— Pas la peine de jouer les croque-mitaines, me dit-elle. M. Alfred a raison : vous autres (et de désigner son conjoint en même temps que moi-même) les poulets, vous êtes forts en parlotes, mais pour les actes... Vous savez ce qui m'est arrivé ?

— Je vous le demande depuis dix minutes, chère madame !

Elle passe un doigt monstrueux sur sa moustache, tire un peu sur sa jupe, se cale un nichon vagabond dans le monte-charge et commence tout en pourléchant ses lèvres grasses afin de s'huiler les syllabes :

— Lundi après-midi, je suis allée faire des courses sur les Champs-Élysées, et notamment à la maison Corot...

— Exact, aboie le Gros, voulant accréditer les allégations de sa pétasse ; je suis t'été vérifier tantôt, la vendeuse du premier, une charmante blonde...

— Tais-toi, crétin ! dit Berthe.

Béru se pose illico des points de suture. La femme-canon poursuit :

— Je quittais ce magasin de tissus et je passais le porche lorsqu'un monsieur très bien de sa personne, mais qui ne causait pas français, m'a demandé de le suivre jusqu'à sa voiture...

— Comment avez-vous compris ce qu'il vous disait s'il ne parlait pas français ?

Elle se remonte le nichemard droit aussi haut qu'elle peut, sur son avant-bras, puis le lâche et ça fait le bruit d'un sac de farine largué à six mille mètres d'altitude pour ravitailler des populations isolées.

— Vous oubliez, commissaire, qu'il est un langage international : celui des gestes. Le monsieur que je vous parle m'a désigné sa voiture stoppée dans la contre-allée, à deux pas. Une merveilleuse auto américaine, bleue et jaune avec des raies rouges et des housses vertes... Au volant, il y avait un autre homme.

— Et vous avez suivi ce quidam étranger ? dis-je en lui cloquant un de ces regards proches du zéro absolu.

Elle bat des ramasse-miettes.

— Je vais vous expliquer, mon cher... Cet homme était très badin. Il riait. Bien que je ne comprisse pas le sens exact de ce qui me causait, je me doutais qu'il s'agississe d'une honnête proposition... Une petite promenade au bois, par exemple...

Quel tombereau, cette mère Béru ! Toujours prête à se faire grimper par le zig qu'a son ticket d'appel ! J'en suis sidéré, comme disait un astronome de mes amis.

— Ensuite ?

Le plus bidonnant, c'est que la mégère cherche à phraser. Elle se voit déjà interviewée par la télé, les grands baveux et les actualités Moviétone !

— Donc, je monte dans cette somptueuse auto, poursuit-elle en faisant sauter avec le pouce un crochet de son corset ; la voiture démarre et le monsieur qui m'avait priée d'y monter s'assied près de moi. L'auto remonte les Champs-Élysées, prend l'avenue de la Grande-Armée et fonce jusqu'à la Défense...

En grande tragédienne qui s'apprête à balancer sa tirade, elle se tait, met ses battoirs sur ses bajoues pour corser l'intensité dramatique de son récit. Elle aimerait que je la bouscule, mais je feins la plus complète nonchalance. Entre nous et l'aéroport d'Orly, je dois vous dire que je ne crois pas un mot de ce que dégoise cette sirène de triperie.

Ma conviction intime, c'est que la mère Béru a eu une aventure galante avec un zig dont c'était le jour d'abats. Elle a mis au point une histoire à la Nick Carter pour endormir son Jules et son Alfred.

Y a pas, faut la laisser se vider pour voir jusqu'où elle ira dans le fantastique.

— Nous tournons la Défense, dit-elle, traversons Colombes !

Colombes ! Elle m'a l'air colombe, la gravosse ! Le plus marrant, c'est que ses deux crétins sous-alimentés boivent ses paroles comme de la grenadine ! Ils en bavent des ronds de ouatères !

— Après Colombes c'est Houille, puis Maisons-Laffitte... Ils quittent la route pour pénétrer dans le bois...

Je risque une interruption.

— Ils ne vous parlaient pas ?

— Non. Moi, je leur demandais où ils m'emmenaient... Mais chaque fois le type qui m'avait priée de monter riait gentiment...

— Bon, après ?

— Voilà que l'auto s'arrête dans un chemin discret. Il n'y avait personne en vue. C'était silencieux... Le soleil...

Elle se prend pour la marquise de Sévigné, maintenant, Berthe aux Grands Pieds ! On en est au soleil qui miroite dans les frondaisons marquées par le roux de l'automne.

Tout à l'heure, ça va être le roucoulement des oiseaux dans les fûts centenaires et le gémissement des girouettes rouillées !

Qu'est-ce qui lui est arrivé, au cinq-tonnes du Gros ? Elle a lu Lamartine ou bien Simonin ?

Écoutons-la :

— Mon compagnon avait cessé de rire. Le voilà qui se penche, qui prend une boîte de fer sous la banquette, qui l'ouvre, qui saisit une éponge et qui me la plaque sur la figure...

— Et pendant qu'il faisait tout ça, vous faisiez les chromes, je suppose, ou bien vous tricotiez un pull-over au monsieur ?

Elle dégrafe un second crochet de son armure. Dans un instant son corset va choir sur le plancher. Ça s'appelle du strip-tease orthopédique.

En général, quand les intéressés sont à poil, ils enlèvent leur jambe articulée, leur râtelier et leur œil de verre. *The end !* On applaudit, les lumières se rallument et une autre effeuilleuse radine, drapée dans des fourrures. C'est curieux comme la clientèle aime que les femmes en fourrure se foutent à poil !

— Donc, fais-je, en m'efforçant de ne pas ricaner, le digne homme vous cloque une éponge sur le nez... Elle était imbibée de chloroforme, je suppose ?

— Exactement, confirme Berthe...

— Pardine !

— Vous ne me croyez pas ? découvre-t-elle avec stupeur.

Ses deux lanciers s'indignent. Comment oserait-on mettre en doute les assertions d'une personne de si haute moralité ! Voyons ! Ce serait un non-sens unique ! Un coup bas porté au séant de la bienséance !

— Mais si, chère amie, je vous crois sur parole !

— Ah bon ! Donc, je respire cette affreuse odeur ! Ah ! rien que d'y penser, je prends mal au cœur !

Elle dit au patron :

— Servez-moi donc une Chartreuse verte.

Pour Béru, c'est la Chartreuse jaune, je suppose !

On lui apporte la consommation réclamée. Elle boit.

— Je perds conscience, enchaîne-t-elle.

— Instantanément ?

— Oui, presque...

C'est pas du Nick Carter, c'est les Pieds Nickelés.

Si elle racontait ça sur la scène de l'Alhambra-Maurice-Chevalier, on refuserait du trèpe.

— Et après, ma chère amie ?

— Je suis revenue à moi dans une chambre aux volets clos !

Comme c'est romantique ! Ça fait tout à fait Belle au Bois dormant ! C'est pas un rigolo qui a enlevé la grosse, c'est la fée Marjolaine...

— Quelle extraordinaire histoire ! m'exclamé-je en me pinçant pour m'empêcher de rire.

— On te le disait ! exulte Bérurier, tout fiérot, le pauvre crabe !

— Et que vous a-t-on fait ? demandé-je à la moustachue.

— Rien, soupire-t-elle avec dans la voix un regret de trois mètres soixante de haut sur deux de large.

— Rien ?

— Rien !

— C'est fantastique, non ? me demande Béru.

— En effet...

— Je suis restée enfermée jusqu'à tantôt, continue l'héroïne. On m'apportait à manger, à boire, à lire...

— Qui ?

— L'homme qui m'avait enlevée.

— Et puis ?

— Et puis, au début de l'après-midi, un autre homme est venu me voir avec le premier. Il m'a regardée et il s'est mis à vociférer. Il eng..., il morigénait son acolyte. J'ai compris qu'il n'était pas d'accord avec lui. Ces messieurs m'ont alors bandé les yeux. Je suis remontée dans une auto, on me guidait pour que je ne trébuchasse pas. Puis on a roulé un bout de temps. Quand on m'a débandé les yeux, j'ai vu que nous étions au bord de la Seine, pas loin de Saint-Cloud, vers les anciennes usines Bréguet... Ces hommes m'ont fait descendre... Il a fallu que j'allasse à pied jusqu'au pont de Neuilly et que je frétasse un taxi pour rentrer, vous vous rendez compte ?

Elle fait péter un troisième crocheton à sa carapace.

— C'est tout. Maintenant, messieurs de la police, je crois qu'il serait bon que vous intervenassiez !

CHAPITRE III

Lorsque la mère Béru se tait, le silence qui s'établit à son compte est aussi tendu que le pantalon du roi Farouk.

Alfred, le champion du shampooing à l'huile toute catégorie, couve son égérie d'un œil velouté. Il est fiérot de calcer une dame à qui il arrive des aventures pas ordinaires. Béru serait satisfait itou si sa qualité de royco ne lui filait quelques complexes très justifiés. Son tombereau ne vient-il pas de dire que c'est à nous autres, les matuches, de nous lancer sur le sentier de la guerre ?

Je mate la gravosse. Avec ses flotteurs taillés dans la masse ; son pétrousquin en mousse de lastex ; sa trogne de vivandière victime d'une attaque d'anémie graisseuse, elle est assez ignoble. Que cette tarderie ressemble à un volumineux cauchemar, passe encore ; qu'elle trouve le moyen d'enrichir l'existence de deux larves, je veux bien ; comme disait l'autre (pas le plus grand, le marchand de tulipes) c'est pas mes oignons. Mais que cette triperie ambulante vienne nous faire un cinéma insensé avec enlèvement en Cadillac. chloroforme en forêt. séquestration, et bandeau sur les châsses, alors là je suis plus d'accord.

Si elle avait vingt berges, un frais minois et une rampe de lancement présentable, je m'amuserais peut-être à lui jouer le second épisode ; seulement c'est loin d'être le cas et la vue d'ensemble de cet édifice de tripes commence à me donner le mal des cimes.

— Que décides-tu ? demande Bérurier, vaguement anxieux. Il me connaît et, à ma frime, comprend que je suis à deux doigts de harponner sa baleine.

— D'aller me pieuter, dis-je froidement. C'était une séance intéressante, bien qu'elle m'ait rappelé les films d'avant-guerre ; mais je suis en vacances depuis hier et je tiens à en profiter.

La bouille de Berthe Béru prend la couleur d'un homard qui passerait ses vacances dans une casserole d'eau chaude.

— Alors, vous ne me croyez pas ? demande-t-elle...

Sa moustache est hérissée. Dans le fond, c'est à un affreux poisson exotique qu'elle fait songer.

— Chère madame, fais-je, je suis persuadé que votre cas n'est pas désespéré. Vous devriez commencer par vous faire faire un encéphalogramme ; peut-être que votre système nerveux seul est atteint, mais, si je puis dire, il faut en avoir le cœur net.

— Malotru ! mugit-elle.

Et se tournant vers ses hommes :

— Vous n'allez pas me laisser insulter, non ?

Le coiffeur met la main à sa poche-revolver et en sort un peigne. Pour calmer son énervement, il prend le parti le plus sage : celui de se refaire la raie. Quant au Gros, il me balance des mimiques qui conduiraient le mime Marceau droit au suicide.

— Bonne nuit, dis-je en gagnant la lourde.

Je retrouve la nuit mouillée de Paname et sa bonne odeur un peu triste de feuilles mortes.

— Hé ! San-Antonio ! Écoute !

C'est le gros qui me file le train en se comprimant la brioche pour ne pas se marcher sur le nombril. Je ralentis, mais sans m'arrêter, car il est bon de lui faire faire un poil de culture physique de temps à autre.

Il finit par me remonter. Ses éponges font un bruit de forge.

— Écoute, mec...

Je stoppe et lui enfonce le bada au ras des

sourcils. Il ressemble ainsi à un chaudron renversé.

— Tu as tort ! dit-il... Je te jure que tu as tort ! Je connais Berthe, et...

— J'en ai classe de ta Berthe ! beuglé-je... Tu ne comprends donc pas qu'elle n'a pas besoin, elle, de chloroforme pour t'endormir ? La vérité, si tu veux la connaître, c'est qu'elle a dû se lever un marchand de frites et qu'elle s'est donné deux jours de vacances dans un plumard renforcé. Et vous êtes tellement billes, Alfred et toi, qu'elle s'est payé le luxe de vous monter un synopsis à grand spectacle histoire de voir jusqu'où peut aller votre connerie.

« Seulement elle va tellement loin, votre connerie, qu'il n'existe pas une fusée interplanétaire capable d'en trouver les limites. »

— Tu ne connais pas Berthe, affirme le Gros.

Il a des larmes rouges dans ses yeux de bon goret.

— Je la connais suffisamment comme ça. Si je poussais les investigations, je serais capable de m'aligner au départ pour la course à sa vertu...

— Elle est incapable d'inventer une chose pareille. Elle a trop les pieds sur terre !

Je lui répondrais bien qu'elle les a plus souvent au ciel, mais à quoi bon planter dans cette âme noble des images déprimantes ?

— Va te zoner avec ta reine du kidnapping,

Gros... Je te le répète, je suis décidé à bien employer mes trois jours de campo. Demain, c'est moi qui ai un enlèvement à faire. Et comme il s'agit d'une petite brunette à l'air salingue, j'ai pas le droit d'épuiser mes réserves.

Je le plante là et entre dans ma tire. En passant devant le bistrot, j'ai une rapide vision de la grosse Berthe, me criant des invectives, avec sa roue de secours suspendue à son bras de catcheuse.

***

Lorsque j'arrive at home (comme on dit en Savoie) l'émission de télé s'achève avec un sensationnel débat de chauves sur la conception du suppositoire dans la vie moderne. Un chauve à lunettes affirme que le suppositoire doit aller de l'avant et qu'on doit par conséquent accentuer son aérodynamisme ; un chauve à moustache lui répond que l'efficacité du suppositoire ne réside pas dans sa vitesse, mais au contraire dans la lenteur de son cheminement, et qu'il serait intéressant de lui donner une forme carrée ; un chauve à montre-bracelet réfute cette suggestion hardie. D'après lui, ce serait une question de percussion et il prône l'utilisation d'un pistolet-à-suppositoire permettant d'administrer celui-ci à bout portant...

Un quatrième chauve, un chauve-président, vers qui se tournent avec ferveur tous les protagonistes pour lui demander de trancher le litige, leur répond qu'il est l'heure de rendre l'antenne.

Il passe donc la parole à la speakerine (dent blanche, haleine fraîche) laquelle la passe aussi sec en retrait au demi de volée du journal parlé, lequel la passe à M. Guy Mollet et la conversation sort en touche. On tourne le bouton et ma chère Félicie me dit :

— Tu viens d'éternuer, Antoine.

— Moi ?

— Tu t'es enrhumé sous la pluie, je vais te faire un brûlot.

Elle vide une tasse de rhum dans un bol, y met le feu et de belles flammes bleues dansent au-dessus du récipient.

Comme lorsque j'étais mouflet, j'éteins la lumière pour mieux les admirer... Elles mettent des lueurs émouvantes sur les joues de ma chère Félicie...

Je bois le brûlot après combustion de l'alcool et je gagne ma ligne de flottaison pour rêver à loisir aux mésaventures de la Bienheureuse Berthe Bérurier.

Le rhum aidant, j'imagine cette gente dame emportée sur la croupe d'un cheval fougueux par un Tarzan de légende auquel Alfred le merlan a réussi une permanente inouïe. Ils galopent tous les deux dans un désert semé de cactus exubérants qui sont en réalité les verrues de la mère Bérurier.

***

Quand je suis de repos, vous connaissez mon régime ? Le matin, caoua au lit, avec des toasts beurrés, confiturés et miellés par Félicie, le journal non déplié, et le courrier.

Ce matin il est maigrichon. Mon tailleur se rappelle à mon bon souvenir et à la faveur d'un innocent post-scriptum m'indique que je lui redois vingt tickets sur le costar Prince-de-Galles qu'il m'a fait le mois dernier. J'ai bien envie de lui dire que je règle mes fournisseurs par tirage au sort à chacune de mes paies, et de le menacer de ne pas le faire participer au prochain tirage s'il renaude.

Sa missive exceptée, mon courrier ne comporte qu'une carte publicitaire, celle-ci donne droit à une réduction de cinquante francs à toute personne acheteuse avant le dix du mois prochain d'un radeau pneumatique. Le prospectus affirme que cet engin est indispensable à l'homme d'aujourd'hui ; ce que je crois volontiers, mais je préfère néanmoins me rendre à mon burlingue en auto plutôt qu'en radeau gonflable.

Je m'attaque à mes toasts et, presque simultanément au journal. A la une, une nouvelle à sensation : la princesse Margaret a les oreillons, au début on craignait que ce fût le croup ! Et puis en bas de page, une autre nouvelle, beaucoup plus modeste mais qui ne manque pas d'intérêt.

On a kidnappé à Orly la femme d'un businessman amerlock. Je me fends le pébroque en pensant que c'est peut-être un enlèvement style mère Béru... On me dit de me reporter à la page trois pour plus amples détails ; j'y cours. La photo de la dame s'étale sur deux colonnes. Et je crois avoir une hallucination car sa ressemblance avec Berthe est frappante. Même trogne voltueuse, même embonpoint, mêmes verrues à aigrettes : on croit rêver... Il faut vraiment bigler de plus mieux près pour comprendre qu'il ne s'agit pas de la vertueuse épouse du Gros. Illico un petit turbin s'opère sous mon crâne. Une grave question me martèle le bulbe comme un tympan de cloche. Je me dis : « Et si la vioque ne nous avait pas bourré la terrine ? Si vraiment elle s'était fait enlever ? »

Ses paroles de la veille défilent devant mes yeux comme les caractères flamboyants d'un journal lumineux.

« Un homme est venu au début de l'après-midi, il m'a regardée et s'est mis à engueuler l'autre »...

Je ligote l'article à toute vibure.

Les choses se sont passées de la façon suivante :

La grosse Ricaine, Mrs Unthell, s'apprêtait à prendre le Super-Consternation pour regagner son home et retrouver son homme lorsque le haut-parleur de l'aéroport lui a demandé de se rendre d'urgence dans le hall des départs. Elle se trouvait en compagnie de sa secrétaire miss Tinguett laquelle était chargée des affaires courantes et de sa valise de bijoux. La gravosse lui a demandé d'attendre un instant et aussi vite que le lui permettait son tonnage de gras double elle est allée là où on la conviait. Dix minutes se sont écoulées, l'avion devait décoller. La secrétaire est revenue à l'intérieur de l'aéroport et n'a pas vu sa patronne. Alors l'avion s'est envolé sans elles. La secrétaire a fait du foin, on a enquêté et on a su qu'un type descendu d'une chignole américaine était venu réclamer Mrs Unthell pour une communication de la plus haute importance...

D'où cet appel in extrémis. Un employé des douanes affirme avoir vu la femme du businessman quitter le hall avec le gars en question ; elle paraissait très abattue.

Depuis on n'a plus de nouvelles...

Je jette le baveux sur ma carpette, je dépose mon plateau sur une chaise et en quatrième vitesse je m'ablutionne et me vêts.

— Tu sors ! s'étrangle ma bonne Félicie en me voyant déhoter dans mon bath costar à rayures.

— Je ne serai pas long, promets-je en l'embrassant.

Une demi-plombe plus tard, je sonne chez le Gros.

Je tiens à la main un bouquet de colchiques acheté d'urgence à une marchande de végétaux et j'ai mis au point mon sourire le plus duveteux. C'est justement la mère Jambe-en-l'air qui délourde. Elle a enroulé son saindoux dans une robe de chambre en satin blanc agrémenté de feuilles de philodendron. Telle, elle ressemble à la forêt vierge, en plus touffu.

Ses lampions lancent un éclair en zigzag lorsqu'elle me constate sur son paillasson.

— Vous ! grogne-t-elle en laissant béer son décolleté.

Je réprime mon vertige.

— Chère amie, fais-je en battant de la paupière, je viens faire amende honorable.

— Ah oui !

Je lui cloque mon bouquet. A côté d'elle, il fait minuscule. Il l'émeut pourtant. Elle le happe et consent à sourire.

— Vous avez été un petit polisson, hier soir, commissaire.

— Je sais, admets-je. Il ne faut pas m'en vouloir.

Elle me tend la main. N'ayant pas de monnaie à y déposer, je hasarde la mienne.

— Tout est oublié, assure-t-elle en me broyant trois cartilages.

— Tout ! gémis-je.

— Allez, on s'embrasse pour faire la paix, gazouille l'épaisse créature.

Elle m'attire contre son massif de philodendrons si brutalement que j'en ai le souffle stoppé. Sa bouche goulue se plaque contre ma joue, pas très loin de mes lèvres.

Le dos rond, je laisse passer le typhon.

CHAPITRE IV

Bérurier qui sort de sa chambre, vraiment impec dans un pyjama ayant servi primitivement à Jumbo, l'éléphant savant, pour son numéro au cirque Amar, est ravi par ce témoignage de paix. Son rêve secret serait de voir sa bergère en bons termes avec tous ses amis. Il m'a d'ailleurs été donné de constater au cours de mes pérégrinations que beaucoup de maris sont ainsi. Chaque homme, même le plus jaloux, n'aspire qu'à trouver sa gerce dans les bras de son supérieur hiérarchique. Il y décèle comme une promesse. Et disons-le, quitte à chiffonner la morale, c'est un peu vrai. De là sans doute cette croyance populaire quant à la chance des cocus.

— A la bonne heure ! tonitrue le Gros. J'aime mieux ça !

Ces braves gens me convient à petit-déjeuner en leur compagnie. J'accepte pour ne pas les désobliger et la grosse m'entraîne, mutine, devant un bol de cacao plus onctueux que tout un conclave de cardinaux.

— Chère Berthe, attaqué-je, pour le plus grand ravissement de mon subordonné, lorsque vous m'avez bailli votre mésaventure, j'ai de prime abord été sceptique, ainsi qu'il vous a été donné de le constater.

Ce langage plus étudié qu'un Comet à réaction lui porte au soutien-gorge. Ses deux sacs de farine s'enflent démesurément. Elle passe sur sa moustache irisée de Van Houten une langue à côté de laquelle la peau d'un crapaud semble plus lisse que du parchemin.

— J'étais certaine que vous reviendriez sur ce premier sentiment, me balance-t-elle.

Elle donne une tape réprobatrice sur le poignet de son vérat parce qu'il plonge ses quatre doigts plus son pouce dans son bol afin d'immerger complètement sa tartine.

— Il me serait agréable que vous me donnassiez un signalement détaillé de l'homme qui vous kidnappa aux Champs-Élysées.

Berthe boit son cacao. Le bruit de sa déglutition est semblable à celui que produit un moteur hors-bord qui aurait des ratés.

— Il était grand, commence-t-elle. Il portait un costume en tissu léger, malgré la saison...

— Quelle couleur ?

Elle plisse ses délicates paupières de vache heureuse.

— Pétrole !

— Ce qui est tout indiqué pour un Américain…

Le rire du Gros fait trembler le pot à lait.

— Ce qu'il est marrant quand il se met à déconner, ce San-A. ! pouffe-t-il.

Là-dessus il va chercher, mine de rien, un litre de gros rouge dans le buffet et, sans manière, soucieux d'éviter un surcroît de vaisselle à sa poupée d'amour, il verse une rasade d'un demi-kil dans son bol où subsiste encore du cacao.

Maintenant je ne doute plus que Berthe ait bonni la vérité. La description qu'elle vient de me faire est conforme à celle que le journal donne du type de l'aéroport.

Pas d'erreur ; ou plutôt si, une grosse erreur à la base ; les kidnappeurs se sont gourés, lundi passé. Ils ont pris la Berthe pour Mrs Unthell. Sans doute avaient-ils pour mission de séquestrer la femme du businessman ? Mais le zig qui commandait le travail est arrivé ; il doit connaître la Ricaine et il s'est aperçu que son manœuvre avait fait fausse donne. Alors les autres ont joué leur va-tout après avoir libéré la mère Béru… Ils ont dû aller à l'hôtel de Mrs Unthell, là on leur a appris que la dame prenait l'avion pour les States et ils ont bombé jusqu'à Orly…

Mon cerveau se frotte les mains, si j'ose cette métaphore. Votre petit San-Antonio va se payer des vacances à sa façon.

Je vois d'ici le pif que vont faire mes collègues de la P.J. lorsqu'ils apprendront que j'ai dénoué cette affaire ; car je ne doute pas un instant du succès de l'enquête. Le canard à l'appui, je mets le couple au courant des derniers événements.

— Vous comprenez, fais-je, les gangsters se sont mis le doigt dans l'oeil. Ils ont pris Berthe pour la femme de l'Américain, d'ailleurs voyez : la ressemblance est frappante.

Alors là, la Gravosse me joue un concerto de grandes orgues ! Elle glapit au scandale. D'après elle, son fin minois n'a rien de commun avec l'image de cette grosse bonne femme hommasse qui s'étale dans le baveux.

Consternation de son Jules qui se dope en liquidant subrepticement le litron de rouquin.

Je calme la houri en faisant appel à ma diplomatie.

— Chère Berthe, quand je parle de ressemblance, je me comprends (tu parles !) je veux dire que si l'on se réfère à la morphologie intrinsèque des visages, on constate dans la structure dominante une concomitance due à l'appartenance de vos faciès au groupe B du tableau supérieur zoologique dont parle Cuvier dans son fameux traité.

Je reprends mon souffle.

— N'est-ce pas ? fais-je au Gros qui a suivi la trajectoire avec des yeux ronds.

— Exactement ce que je pensais, assure-t-il.

La Berthe a un temps de méfiance ; il semble qu'un nuage chargé de pluie étale une ombre menaçante sur sa frite. Puis elle se détend. Son époux me glisse dans les cornets :

— T'aurais dû te faire marchand de salades !

— Berthe, je vais vous réquisitionner, attaqué-je.

La suzeraine à Béru prend son regard à la Marlène Dietrich amélioré Pauline Carton.

— Oh ! commissaire... Me réquisitionner.

J'ai des sueurs froides. Faudrait pas qu'elle se méprenne. C'est pas pour une partie de chameau que je veux l'embarquer.

— Oui, ma bonne amie, grâce à vous nous devons pouvoir retrouver la maison où vous fûtes conduite.

Elle bée :

— Mais c'est impossible. Je vous ai dit que...

— Qu'on vous a endormie, je sais. Pourtant nous devons essayer par recoupement d'aboutir.

— San-A. a raison ! s'écrie Bérurier. Tu es le principal témoin, en somme !

Le mot témoin amène dans la citrouille de la grosse le mot journal. Elle voit d'ici son odyssée livrée aux pisseurs de copie ! L'héroïne de la saison ! Du coup elle aura une foule d'admirateurs au panier. Elle va pouvoir renouveler son bétail.

— Mon devoir avant tout, déclare-t-elle noblement. Je suis à votre disposition !

***

Le temps s'est remis au chouette et les grenouilles-baromètres ont redescendu les échelles de leurs bocaux.

La forêt de Maisons-Laffitte est d'un roux merveilleux. Les mélancoliques allées sont jonchées de feuilles d'or. Une tendre odeur d'humus nouveau picote agréablement les naseaux, évoquant des sous-bois romantiques.

Ce lourd parfum de la nature lutte péniblement avec celui dont s'est inondée la mère Béru. Je ne sais pas si c'est son friseur de poils qui le lui a offert, toujours est-il qu'il est duraille à supporter. J'ai l'impression d'avoir cassé une bonbonne d'eau de Cologne dans ma charrette.

— C'est là ! fait-elle.

Nous tourniquons depuis un brave quart d'heure dans le parc. Le Gros, affalé sur la banquette arrière, somnole. Il traîne toujours un reliquat d'insomnie ; aussi, dès qu'il est immobile, se met-il à ronfler.

— Vous êtes sûre ?

Elle me désigne une statue, dressée à l'entrée d'une somptueuse propriété.

— Je reconnais cette esculpture !

« L'esculpture » en question représente une dame vêtue seulement d'un carquois ; et encore le porte-t-elle en bandoulière.

— Alors ?

— C'est là qu'ils se sont arrêtés et que le bonhomme a sorti sa petite boîte contenant l'éponge.

Nous nous trouvons dans une allée discrète, qui s'en va, rectiligne, entre une double haie de buis serré.

C'est l'endroit rêvé pour chloroformer une dame ou pour lui demander de vous faire une complaisance.

— Voyons, murmuré-je, vous avez perdu conscience... Donc vous n'avez aucune notion de la durée du trajet ?

— Pas la moindre ! assure B.B.

— Ces vaches-là vous ont endormie à l'aller, mais au retour, ils vous ont seulement bandé les yeux... Écoutez-moi bien, Berthe, Dieu merci vous êtes une femme remarquablement intelligente !

Ça y est, v'là ses roploplos qui jouent la Paimpolaise ! Je poursuis dans la tartine beurrée, sachant trop combien la flatterie est payante. Plus les gens sont c... plus on leur fait faire les pieds au mur en leur donnant l'assurance qu'ils sont des Phénix (publicité gratuite pour les assurances Phénix).

La bonne baleine ne se tient plus. Les ressorts de ma guinde gémissent comme des suppliciés.

— Et parce que vous êtes un esprit supérieur, nous pouvons procéder par déduction. Suivez mon raisonnement et poursuivez-le. Si on vous a amenée dans ce parc c'est que, vraisemblablement, la maison où vous fûtes séquestrée n'est pas loin. On ne vous aurait pas endormie à Maisons-Laffitte pour vous conduire à Vincennes, n'est-ce pas ?

— C'est l'éminence même, rétorque la femme Bérurier qui a tendance à voir rouge.

— Parfait...

Derrière, le Gros ronronne comme un hélicoptère tâchant de repérer Bombard.

In petto je me dis (en latin, notez bien) qu'il doit avoir des végétations qu'on devrait lui ôter *ipso facto*.

— Chère Berthe, nous allons tenter une première expérience.

Oh ! la goulue ! Le regard qu'elle me décroche est déjà un viol en soi. Cette défricheuse de slip est subjuguée par mon autorité, ma personnalité et ma jolie gueule. Elle donnerait, j'en suis certain, sa pelle à gâteau en argent massif contre une nuit d'amour avec moi. Elle aurait raison d'ailleurs.

Essayez donc de vous envoyer en l'air avec une pelle à gâteau avant de lui jeter la première pierre.

— Dites ! Dites ! implore-t-elle.

Étrange comme l'excitation va bien aux femmes. Si celle-ci pesait cent kilos de moins elle serait presque désirable.

— Vous allez fermer les yeux... Et puis mieux que ça, attendez, je vais vous les bander...

Comme mon mouchoir est incompatible avec son tour de tronche, j'éveille Béru pour lui demander le sien. Il me tend une chose trouée, sombre et visqueuse dont je renonce à me servir. En fin de compte c'est ma cravate que je pose sur les paupières baissées de mon cobaye.

— Maintenant, Berthe, je vais vous conduire dans le parc... Concentrez-vous (croyez-moi c'est un bon conseil lorsqu'on le donne à une guêpe de son volume). Cherchez dans vos souvenirs les sensations que vous éprouviez...

On déambule sous les frondaisons déplumées par novembre.

Au bout de dix minutes de virons, je stoppe. Berthe me restitue ma cravatouze et médite...

— Alors ? pressé-je.

— Eh bien voilà, dit-elle. Au début, on

tourniquait comme ça. Avec des virages secs à cause des allées…

— Pendant combien de temps ?

— Pas longtemps… On a fait ça deux ou trois fois…

— Donc la taule se trouve en bordure du parc…

— Peut-être…

— Ensuite ?

A la façon dont elle transforme sa bouillie en accordéon, je mesure l'intensité de son effort.

— On a suivi une ligne droite… Et ça devait être près de la Seine…

— Pourquoi ?

— Il y avait une péniche qui ululait… C'était tout près du chemin que nous suivions…

Je résume. Donc, la maison est en bordure du parc, non loin de la Seine… Vous voyez qu'on avance dans le raisonnement.

Le Gros me touche l'épaule.

— On peut dire ce qu'on veut de toi, Tonio, mais pour la gamberge t'en crains point.

Je pianote mon volant en regardant les feuilles mortes qu'une brise mutine roule dans les allées.

— Je pense à quelque chose, Berthe…

— A quoi ?

— Vous a-t-on ramenée dans l'auto américaine ?

— Non, fait-elle, tiens, c'est vrai…

— La seconde fois ils ont pris une camionnette, pas vrai ?

Elle est siphonnée, la chère âme.

— Comment le savez-vous ?

— Bonté divine, ils n'allaient pas promener dans une voiture normale une dame ayant les yeux bandés, cela aurait attiré l'attention...

— Très juste ! ratifie l'inspecteur Bérurier en allumant une cigarette éventrée.

— De quelle marque était cette camionnette ?

— C'était une 403, assure-t-elle.

Je remets mon bolide en marche et je roule mollement en direction de la Seine.

— Quand vous êtes sortie de cette chambre, vous avez descendu un escalier ?

— Oui.

— Long ?

— Il représentait deux étages...

— La chambre que vous occupiez était mansardée ?

— Non.

— Donc la maison comprend au moins deux étages plus un grenier... Ça doit être un pavillon important... Les constructions de ce genre comportent un perron, y en avait-il un ?

— Certes ! On me tenait le bras pendant que je le descendais, il faisait bien six à huit marches..

Je souris.

— Nous brûlons, mes enfants... Berthe, vous êtes une femme merveilleuse. Comme j'envie cet ignoble individu qui gît sur ma banquette arrière ! Comment un homme aussi peu intelligent a-t-il pu séduire une femme de votre classe !

— T'as fini, oui ? bougonne le Gros, mi-figue mi-raisin !

La pin-up n'hésite plus. Considérant mon compliment comme un coup de rentre-dedans, elle se met à frotter son genou de rugby-woman contre ma jambe, ce qui a pour résultat un brusque enfoncement de l'accélérateur. Ma chignole fait un bond en avant. La gravosse, durement secouée, fait une embardée sur moi.

— Dites donc, Tonio, gazouille-t-elle, ça me rappelle quelque chose... A peine étions-nous sortis de la propriété que la camionnette a eu une secousse, comme si elle avait franchi un caniveau...

— C'est aussi un détail qui peut avoir son intérêt... Continuez et le tableau de la mystérieuse maison se précisera davantage... Nous en sommes à un pavillon de deux étages en limite de parc côté Seine, dont l'allée se termine par un caniveau... Voyons, lorsque vous étiez enfermée, vous avez dû essayer de regarder par les fentes des volets fermés, je pense ?

— Impossible, ça n'était pas des volets ordinaires, mais des rideaux de bois qui s'enroulent. Le mien était tenu du bas par un cadenas...

Je l'embrasserais, si je ne redoutais pas de m'écorcher à ses cactus.

— Dix sur dix, Berthe. Vous me donnez là une nouvelle précision importante : l'habitation n'a pas de volets mais des persiennes enroulées...

» On peut déjà commencer à la chercher sérieusement, tu ne crois pas, Béru ? »

Le Gros ne moufte pas. M'étant retourné, je constate qu'il pionce à nouveau.

— Alors ! hurle sa moustachue.

Mon collaborateur sursaute.

— Hein, quoi, qu'est-ce qu'il y a ?

Furax, je lui conseille d'aller se faire considérer chez les Helvètes, et je me mets à rouler tout doucettement en regardant bien chaque maison.

CHAPITRE V

De temps à autre, je freine devant une construction correspondant à la description que nous avons bâtie. C'est un portrait-robot en quelque sorte. Un portrait-robot de baraque. Mais chaque fois nous décrochons. Quand la maison a deux étages elle n'a pas de stores à glissière, et quand elle les a il n'existe pas de caniveau à proximité.

Moi, vous me connaissez, j'aime bien le mystère, mais quand il m'oblige à tourner en rond trop longtemps, il me cloque la nausée. J'aime aussi le sous-bois automnal, surtout lorsque je le déguste en compagnie d'une créature porteuse de bas pain brûlé et dont les jarretelles ont une élasticité convenable. Mais avec ce couple on cent-kilose.

Je stoppe une fois de plus devant une grande bâtisse à deux étages. Il y a un caniveau devant l'entrée ; manque de bol les volets sont normaux.

— C'est un vrai piège à rats, ce parc, soupire le Gros, on n'arrivera à rien, mec.

Sa femelle n'est pas plus optimiste. Je me demande si on va jouer les prolongations lorsque j'avise un petit garçon boucher qui radine à vélo. Je lui fais signe. Mignon gamin. Grand comme une botte (de radis), coiffé à la Filox (c'est ras), l'œil aussi pétillant qu'un verre de Perrier (fournisseur de feu sa Majesté le roi d'Angleterre), portant une veste de garçon boucher, un pantalon de garçon boucher et une sacoche de garçon boucher ; boucher lui-même, fils de boucher, futur père de bouchers (seront certainement des garçons), il obéit au geste et serre ma voiture de près.

— M'sieur ?

— Dis-moi, fiston, tu dois connaître tout le monde ici ?

— Pas tout le monde, rectifie ce modeste coltineur d'animaux dépecés.

— Écoute bien, je cherche des amis qui habitent le parc, pas très loin de la Seine, dans une maison assez grande, dont les fenêtres ont des volets à glissière, tu vois ce que je veux dire ? Ils possèdent une auto américaine bleue et jaune, plus peut-être une camionnette 403 et ils seraient américains eux-mêmes que ça ne m'étonnerait pas... Peux-tu me renseigner ?

Le gamin est décidément moins bouché que son accoutrement ne le laisse présager. Il se concentre comme une dragée de Viandox en actionnant machinalement le timbre de son vélo, ce avec une telle frénésie que je me contiens pour ne pas le gifler.

Les secondes s'écoulent, oppressantes. A Cap Canaveral, lorsqu'on attend le faux départ d'une fusée intersidérante, on n'est pas plus tendu que le gars mézigue en ce moment.

Enfin, le porteur d'entrecôtes hoche la tête.

— Écoutez, attaque-t-il de sa délicieuse voix de castré (dans sa famille on doit être eunuque de père en fils pour avoir des cordes vocales aussi fournies en aigu).

— Écoutez...

Recommandation superflue. J'ouis avec une telle intensité que mes trompes d'Eustache craquent d'impatience. Dans mon dos, la Grosse respire du nez, à l'arrière, Béru bâille si fort que ça fait appel d'air et que je suis obligé de fermer mon déflecteur.

— Je connais des gens qu'ont une maison comme vous dites...

» Mais ils n'ont pas de voiture comme vous dites. Comme vous dites, la maison est près de la Seine, du côté vers le Champ de Course, on peut pas la regarder de la route parce qu'à cause des arbres on ne peut pas la voir. Et les gens que vous dites n'y sont pas parce qu'ils sont en voyage...

J'interromps l'orateur.

— Si je te donne un gentil pourboire, tu es chiche de nous y conduire ?

— Oui, m'sieur.

Aucune hésitation, sa spontanéité est l'indice d'une âme forte, sachant prendre ses responsabilités.

Voilà le distributeur de faux filet dressé sur ses pédales, dans l'attitude du coureur ailé s'attaquant au Mont Ventoux.

Je lui file le train. Sa sacoche de cuir lui bat le dargeot... Une allée, deux allées, trois allées, qui dit mieux ? Personne ! Adjugé ! Nous nous regroupons devant un portail de fer rouillé comme la virilité de Robinson Crusoé avant l'arrivée de Vendredi. Première constatation qui me réchauffe le battant comme le ferait une lampe à souder : sous le portail, il y a une déclivité pour l'écoulement de l'eau. Le voilà peut-être, ce fameux caniveau qui a noué les tripes de la mère Bérurier ? Mais il est trop tôt pour crier victoire. Ma devise est celle du gorgonzola : « Qui ne dit rien : qu'on sent ! »

— C'est ici, la maison que vous dites ! murmure le gamin.

Je lui vote sur mes fonds secrets un déblocage de cinq cents francs. Il enfouille la coupure tellement vite que je me demande si un coup de vent ne la lui a pas arrachée des doigts.

— Tu le connais, toi, le proprio ? demandé-je...

— Je l'ai vu, l'année passée, oui.

— Comment s'appelle-t-il ?

— C'est le comte de Veaupacuit.

— Et qu'est-ce qu'il fait dans la vie, à part s'astiquer le blason ?

Rire inopportun du garçon louchebem qui, ne pouvant comprendre mes boutades extra-fortes, prend le parti d'en rigoler.

— Il vit dans le Midi, je crois...

En somme, le comte se fait dorer le blason au soleil.

— Et quand il n'est pas là, il loue sa maison à la saison, complète ce chérubin d'abattoir. Il est très vieux, il a une fille qu'est très vieille aussi...

Bref, la vieillesse est une seconde nature chez les de Veaupacuit.

— Ce n'est certainement pas là, soupire la Gravosse.

— Qui est chargé de lui louer sa crèche ? demandé-je à mon mentor.

— Je crois que c'est l'Office Houquetupioge, près de l'église...

— Tu n'as pas remarqué, toi qui circules

beaucoup et qui me parais déluré, tu n'as pas remarqué une voiture américaine dans les parages, ces derniers temps ?

— Des voitures américaines comme vous dites, riposte le véhiculeur de gigots, y en a des tas ici parce que les gens sont riches. Le comte, lui, n'a qu'une toute petite voiture à trois roues et c'est sa fille qui la pousse vu qu'il est paralysé des jambes !

Perspicace, je devine que j'ai tiré de ce gentil livreur de bœufs défunts un maximum de tuyaux en un minimum de temps.

— Ça va, merci, lui dis-je pour le congédier...

Il nous distribue quelques menus sourires et fait un démarrage à la Darrigade, les coudes écartés, la tête penchée au-dessus du guidon.

— Vous avez vu ! s'exclame soudain Béru.

— Non, quoi donc ?

— Dans la corbeille du môme ?

— Eh bien ?

— Il avait du rumsteck fantastique, vous n'avez pas faim, vous ?

— Tu claperas plus tard, décidé-je... Pour l'heure, des tâches plus importantes nous attendent.

— Rien n'est plus important que la bouffe ! décrète Bérurier...

Il pointe le doigt au ciel pour réclamer notre attention.

— Écoutez mon ventre ! dit-il...

Un grondement qui n'est pas sans rappeler le passage du métro agite l'auto.

— Ce rumsteck, ajoute-t-il, je l'aurais bouffé nature !

Écœuré, je descends de charrette.

— Berthe, dis-je... Je vais repérer les lieux. Faites attention de ne pas vous montrer. Si quelqu'un vient m'ouvrir, couchez-vous sur la banquette...

Ayant dit, je tire la chaînette rouillée. Une cloche fêlée sonne un glas dans le silence.

Berthe pousse une exclamation. Elle passe sa hure par la portière.

— Commissaire, mugit l'aimable bovidé, ça y est, c'est là ! C'est là ! Cette cloche ! je m'en rappelle... De ma chambre je l'entendais carillonner... Elle a un bruit bien à elle, n'est-ce pas ?

— Couchez-vous, bon Dieu ! riposté-je en apercevant une silhouette entre les arbres.

La Gravosse s'affale sur le plancher de l'auto. Son bonhomme jette précipitamment un plaid sur elle. Cette couvrante m'est très utile lors des excursions en forêt avec les dames qui ont peur de se piquer le dos avec des aiguilles de pin.

Je mate l'arrivant. C'est une arrivante. Et même une arrivante qui a tout ce qu'il faut pour arriver dans la vie.

Vingt-cinq berges au maxi, une chouette cloison étanche à l'avant, la démarche souple, les jambes longues, l'œil myosotis, la bouche faite pour sucer des esquimaux et des cheveux blond cendré, coupés court... Elle est exactement le genre de personne pour laquelle on aime retenir une table au Lido et une chambre à l'Excelsior.

Elle porte une robe en lainage beige avec une ceinture noire cloutée d'or et des godasses beiges et noires. Mon admiration est telle que j'en oublie de jacter.

— Qui demandez-vous ? gazouille cette biche des bois d'une voix céleste où perce délicatement un léger accent étranger. Quand je dis qu'il s'agit d'un accent étranger c'est parce que je suis dans l'impossibilité de préciser. Elle pourrait aussi bien être anglaise, allemande, ricaine que nordique...

— Je viens de la part de l'agence Houquetupioge...

Elle joint ses menus sourcils qui semblent (écrirait un académicien du 16e arrondissement) peints par un artiste japonais.

— L'agence immobilière, près de l'église, précisé-je pour éclairer sa lanterne magique.

Elle acquiesce.

— Oh ! oui...

Cette grâce de la nature paraît néanmoins surprise.

— Je croyais que tout avait été réglé ? objecte-t-elle.

Le San-Antonio joli se farcit son sourire le plus casanovien. Deux jetons de ratiches comme celui-là et les nanas ont l'impression de s'être assises sur une fourmilière en plein déménagement.

Mais en l'occurrence, une séance de charme est inopportune. Ce qu'il faut c'est du valable et du raisonné.

— Le comte de Veaupacuit, propriétaire de cette maison, a oublié ses lunettes dans un tiroir, expliqué-je. Ce sont des verres spéciaux à foyer d'infection polyvalent, il aimerait les récupérer et nous prie de l'excuser auprès de vous...

Elle hoche la tête. Son regard bleu d'azur va se poser sur l'excrémentiel Béru ; vraisemblablement la bouille ahurie et couperosée du prince charmant de la Berthe lui inspire confiance, car la belle enfant délourde le portail.

— Entrez, je vous prie...

Elle se met à remonter cavalièrement l'allée du même nom. Je lui laisse prendre deux pas d'avance, histoire de pouvoir contempler à loisir et à l'oeil nu les circonvolutions de son mobile. J'ai vu bien des fouignozoffs dans ma garce de vie : des plats, des ronds, des lombaires, des ovoïdes, des surbaissés, des tristes, des elliptiques, des durs, des mous, des flottants, des développés et bien d'autres sans histoire. Mais un comme celui de la fille en beige, jamais. Son papa devait penser à Rodin lorsqu'il a fait à sa maman le coup du ravitaillement en plein septième ciel.

La première chose que j'entr'asperge en débouchant sur l'esplanade de la propriété, excepté la propriété elle-même (à deux étages, je vous le fais remarquer et pourvue de volets roulants) c'est une bagnole américaine. Seulement elle n'est pas bleue et jaune avec des housses vertes comme l'a décrite Berthe, mais noire avec des housses corail.

La fille au valseur articulé gravit un perron de six marches. Elle entre dans un grand hall aux carreaux en damier, noirs et blancs, et là, fait la chose la plus ahurissante qu'on puisse imaginer : elle saisit une blouse blanche jetée sur un sofa, s'en revêt et, se désintéressant de bibi comme de sa première culotte de nylon, s'approche d'un superbe landau dans lequel roupille un bébé.

J'en reste comme deux ronds de mou. Je dois avoir l'air passablement cruche, merci, car la souris a un petit sourire désarmant.

— Vous ne cherchez pas les lunettes? demande-t-elle, à voix basse, sans doute pour ne pas réveiller le moutard.

Je m'ébroue.

— Heu, si, mais... il serait peut-être mieux que vous m'accompagniez !

— Oh ! non, répond la pin up nurse, Jimmy ne va pas tarder à se réveiller, et quand il se réveille ça devient un vrai petit diable.

Elle s'assied nonchalamment près du landau, croise ses jambes si haut que j'ai une faiblesse cardio-vasculaire, et se désintéresse de moi. Pour ne pas risquer une thrombose, je décide de m'évacuer... Un peu confus malgré tout, car après tout je me trouve illégalement dans cette carrée, je fais la virée des pièces. Dans la plupart on n'a pas ôté les housses des meubles. Un salon et trois chambres sont habités, le reste somnole dans une lumière grise d'outre-tombe, sous une couche de poussière. Dans le salon, par contre, la vie éclate comme un feu d'artifice. C'est plein de bouteilles de scotch et de sodas, de journaux américains, de photos en couleur représentant des mecs qui me sont — et me resteront vraisemblablement — inconnus. Excepté la souris au mouflet, il n'y a personne d'autre chez le comte.

J'ouvre quelques tiroirs pour la vraisemblance de ma mission, puis je redescends dans le hall où la merveilleuse nurse lit le dernier exemplaire de Mickey Mouse.

— Vous avez les lunettes ? me demande-t-elle aimablement.

— Non, le vieux comte commence à être en cale sèche, il s'est figuré les avoir laissées ici.

— Vous avez cherché très vite, ironise-t-elle.

Je réponds, du tac au tac, comme une mitrailleuse bien huilée.

— Si vous m'aviez escorté, j'aurais sans doute fait durer le plaisir.

Elle pige, se paie le luxe de rosir. Ça fait toujours bien, la pudeur. Les hommes ne s'en fatiguent jamais. Lorsqu'ils déballent une balourdise à une moukère et qu'ils voient celle-ci baisser les cils, ils s'imaginent qu'ils sont tombés sur la petite sœur Thérèse et le rêve secret de tous les hommes, c'est justement de se farcir une petite sœur Thérèse.

— Vous êtes toute seule, m'étonné-je.

— Non.

— Ah ! je croyais.

— Il y a Jimmy, dit-elle en me désignant le landau.

— Ce n'est pas encore une vraie présence.

— Revenez quand il sera réveillé, vous changerez sûrement d'avis.

Elle me plaît de plus en plus, la nurse. Et ses jambes aussi. Si on alignait les guitares de la Sophia à côté des siennes, y aurait des pleurs et des grincements de chailles chez la transalpine.

— Vous êtes américaine ?

— Non, suisse-allemande ! Zurich !

— Alors vive la Suisse ! fais-je d'un ton recueilli. Vous êtes sa nourrice ?

— Sa nurse seulement ! Il n'y a pas que des vaches laitières chez nous !

— Dommage, ça ne m'aurait pas déplu d'assister à un repas de Jimmy.

Alors là, les mecs, vous devez penser que je balance les confetti un peu trop fort ; mais que voulez-vous, quand il y a une personne de taille 42 dans les parages, je ne me sens plus. Je suis obligé de me parfumer à l'essence de térébenthine pour arriver à me sentir.

— Et vos patrons ? fais-je, sur ma lancée, sans me départir de ce regard enjôleur qui ruine les marchands de glaces.

— Eh bien ?

— Ils ne sont pas là ?

— Non, lui il tourne...

Je fais celui qui ne pige pas, et ça m'est d'autant plus facile que je n'entrave que pouik à ce qu'elle me distille.

— Comment ça, il tourne ?

— A Boulogne, les raccords de la séquence française...

— Il est metteur en scène ?

C'est à son tour de jouer « C'est-y du lard ou du cochon », scène deux de l'acte trois.

— Il est acteur... Vous venez de la part de

l'agence et vous ne savez pas qui est Fred Loveme !

Je bredouille :

— Fred Loveme !

Tu parles que je connais le monsieur ! Et vous aussi d'ailleurs ! Le premier acteur d'Hollywood ! Le héros de tant de films à succès, parmi lesquels je cite au hasard :

« Prends-en deux on mangera l'autre », « Les constipés du Larfouillet » et surtout, ce monument de l'écran qui lui a valu l'Oscar « Pas de bouquet pour les crevettes ». Vous vous rappelez ? C'est le film qui raconte les aventures de Clovis au Texas et qu'il a interprété si magistralement avec, pour partenaire féminine, Gertrud Tubar, premier prix du Sanatorium de Waterproof.

Je répète encore, me gargarisant. me pénétrant du sujet :

— Fred Loveme !

J'en prends une quinte de toux, d'ailleurs y a de quoi, cet homme c'est la coqueluche des foules.

— Mais, proteste la môme, je pensais...

Il est temps de justifier mon ignorance.

— Je suis nouveau à l'agence, expliqué-je précipitamment, et on a tant de maisons louées... Le patron ne m'a pas donné de précision. Mais si je me doutais...

En effet, tous les baveux ont annoncé l'arrivée en France de Fred Loveme. Il est arrivé avec sa femme, son fils, sa nurse et son secrétaire à bord du dernier *Liberté.* Comme c'est un gars très simple, il a loué un étage du Ritz pour lui, un étage du Carlton pour sa femme et une villa à Maisons-Laffitte pour le bébé... S'il n'a pas loué le Palais des Sports pour garer ses bagnoles, c'est uniquement parce qu'il y a trop de poussière.

— Y a longtemps que vous servez chez les Loveme ?

— Depuis la naissance de Jimmy.

— Ils sont chouettes ?

— Pardon ?

Je me mords la langue, contrairement aux serpents qui eux se mordent une autre extrémité.

— Ce sont des patrons agréables ?

— Très. Je ne les vois pas beaucoup.

L'absence, c'est la principale vertu d'un patron. Je le lui fais remarquer, son sourire s'accentue.

— Vous ne vous ennuyez pas dans cette grande maison ?

— Un peu... Mais le soir j'ai une remplaçante et je vais à Paris avec la voiture.

M'est avis, les gars, que cette pin-up a

découvert la gâche idéale. C'est un job comme toutes les femmes de ménage en espèrent un.

Comment qu'ils sont, aux States, les boss ! On prend du personnel pour servir le personnel et on met à sa disposition des charrettes comme n'en ont pas nos ministres !

— Vous y allez seule, à Paris ?

— Vous êtes bien curieux...

— Si vous avez besoin d'un mentor, ce serait avec plaisir que je vous piloterais...

Mais un mentor n'est jamais cru, vous le savez. La môme se renfrogne. Je ne dois pas être son genre. Pour comble de bonheur, le gamin se réveille et pousse une gueulante. Je prends congé en m'excusant tandis que la nurse s'occupe de l'héritier de Fred Loveme.

J'ai dans l'idée que nous nous sommes gourés de lourde. Que peut-il y avoir de commun en effet entre un acteur de réputation mondiale et un kidnapping ?

CHAPITRE VI

La mère Béru, notre pin-up des faubourgs, dite aussi la Vénus obèse, est toujours vautrée sur la banquette avec la couvrante sur le râble lorsque je ramène ma délicate personne.

A deux doigts de l'apoplexie, la Berthe ! Quand elle se redresse, ses carreaux sont injectés de sang.

— Alors ? halète-t-elle.

— Ma chère amie, déclaré-je sans ambages, ayant oublié ma provision d'ambages à la maison, dans le tiroir de ma descente de lit, ma très chère amie, il y a maldonne.

— M... ! prononce distinctement Béru, lequel a toujours eu une prédilection marquée pour les mots de cinq lettres.

— Cette maison a été louée par Fred Loveme, le célèbre acteur américain, pour son bébé qu'il tient à élever au grand air, donc rien de commun avec les foies blancs qui enlèvent les petites dames.

Entre nous, c'est pur madrigal, elles ont un sacré tonnage, les petites dames, cette année.

Mais la Gravosse renaude brusquement. Abattant sa grappe de francforts sur mon poignet, elle bavoche :

— Commissaire, je sais que c'est ici.

— Mais, ma bonne Berthe.

— Tout ce que vous pourrez me dire n'y changera rien ; ce serait la maison du cardinal Feltin que je continuerais à le soutiendre. Tenez, pendant que j'étais sous la couverture, j'ai formellement reconnu la maison.

Je lui glisse un petit coup de périscope, pour vérifier si des fois elle n'aurait pas un plomb de sauté. Mais elle semble très sérieuse, quasi pathétique... Les poils de ses verrues sont dressés comme les antennes d'un spoutnik et ses miradors ont mis le plein feu...

— Reconnu ! Sous la couverture !

— Parfaitement, commissaire. Là-dessous j'avais du mal à respirer, donc je respirais fort. Ce que j'ai reconnu, c'est l'odeur. J'avais oublié. Une odeur de laurier. Et regardez, il y a une haie de lauriers qui borde l'allée jusqu'à la maison.

L'argument est de poids. Une cuisinière de la

classe de Berthe se devait d'identifier un parfum de laurier.

Je ne réponds rien. Je suis plus perplexe que le monsieur qui, rentrant chez lui, trouve son meilleur copain à poil dans l'armoire.

Je traverse le parc et fonce jusqu'à l'agence Houquetupioge. J'ai besoin d'en savoir davantage.

— On ne rentre pas ? se lamente l'Enflure arrière. J'ai une de ces faims !

Sans répondre, je débarque de mon carrosse et je pénètre dans le bureau de l'Office Houquetupioge et ses fils ! Pour l'instant, M. Houquetupioge occupe le local sans ses fils. Ou alors il est l'un des fils et ses frangins sont allés à la pêche avec leur papa. C'est un monsieur qui serait sexagénaire s'il n'avait presque soixante-dix ans, grand, mince, anguleux, blanc de cheveux, noir de moustache teinte, porteur d'un complet marron, d'un gilet de laine bleue et de pantoufles fabriquées dans une vieille tapisserie Louis XIII. D'ailleurs il aime le Louis XIII, sa table de travail est Louis XIII ; son fauteuil aussi, de même que sa machine à écrire et son téléphone. Lorsque, obéissant en cela à la plaque d'émail (Bravo, Bernard Palissy !) vissée sur la lourde, j'entre sans toquer, le fils ou le père Houquetupioge, est en train de se livrer à une double opération ; chacune en soi est relativement banale, mais leur conjugaison donne un exercice périlleux. Le digne homme tape une bafouille sur sa machine à écrire en buvant une tasse de café.

La brusquerie de mon irruption lui fait rater son numéro de haute voltige. Il prend le contenu de la tasse sur la braguette, heureusement ça ne dérange personne, et il écrit un mot comprenant trois doubles V qui me paraît intraduisible en français.

Il lève sur moi son œil gauche, tandis que le droit se met à contempler un tableau représentant la bataille de Marignan.

— Monsieur ? demande-t-il en épongeant son futal.

Il est commerçant, le dabe. Il s'imagine déjà, à cause de mon costar bien coupé, qu'il va me louer le Palais de Versailles ! Il me désigne une chaise haute époque qui devrait se trouver dans un musée si j'en juge à la plainte qu'elle exhale à la réception de mon postère.

— C'est à quel sujet ?

Je vais pour attaquer mon historiette lorsque le bigophone demande la priorité.

— Vous m'excusez ? dit-il.

Il décroche et, étant doué d'un sens aigu de l'opportunité, fait « Allô ! » dans l'émetteur...

Il écoute un instant, son front est plat. Je n'aime pas les mecs qu'ont la coquille en planche à découper ; généralement leurs idées sont plates aussi. Une expression incrédule passe sur sa bouille en terminus de destin médiocre.

— Des lunettes ? Quelles lunettes ? balbutie-t-il.

Je réalise tout. La môme Dodo-l'enfant-do a été troublée par ma visite et s'assure que c'est bien l'agence qui m'a expédié chez le comte de Veaupacuit.

Vous qui suivez mes exploits avec une fidélité qui n'a d'égale que l'amitié que je vous porte, vous devez savoir que je suis le gars des promptes décisions.

D'un mouvement vif, je cramponne le combiné à Houquetupioge. Le loueur de cases n'a sans doute jamais fait de rugby car il se laisse déposséder sans avoir eu le temps d'esquisser le moindre geste.

Je cloque la pogne sur la passoire et je lui dis pour lui faire rengainer son indignation :

— Police !

Le temps qu'il réfléchisse à cet aspect de la question et je suis déjà en train de chambrer miss layette.

— Allô ! C'est moi, dis-je... Je rentre et M. Houquetupioge me demande ce que c'est que ces histoires de lunettes. Il n'est pas au courant parce que c'est son fils qui a reçu la lettre du comte et il ne lui a pas encore parlé. Vous désiriez quelque chose, jolie demoiselle ?

La môme, soulagée d'un doute, débarrassée d'un préjugé défavorable qui risquait de me coûter chérot, me gazouille un bobard.

— Je voulais savoir, au cas où je trouverais ces fameuses lunettes, si je devais vous prévenir ?

— Oh ! oui, prévenez-moi, rétorqué-je, j'adore entendre votre voix. Et si par hasard vous aviez changé d'idée au sujet d'un Paris by night avec guide spécialisé, prévenez-moi aussi, je ne quitte l'agence que pour les environs immédiats !

Elle me répond qu'elle va réfléchir, que c'est à voir. Je lui demande si Jimmy braille toujours, elle m'affirme que si le bigophone se trouvait dans la chambre du marmot elle ne pourrait pas entendre mon timbre viril. Et puis on se quitte avec comme de l'espoir entre nous.

Au cours de cette communication, j'ai sorti ma carte de poultok et l'ai donnée à lire au marchand de sous-bois. Il la tient à droite de sa tête pour la donner à lire à son œil droit, celui qui assure ses arrières, tandis que du gauche il continue de m'apprécier.

— Que signifie tout ceci ? demande-t-il, très digne, après que j'aie raccroché.

Je m'essuie le front. J'ai été bien inspiré de faire fissa pour venir à l'Oficce.

— M. Houquetupioge, dis-je, je m'excuse, mais je suis en service commandé. Vous avez loué une villa à Fred Loveme, n'est-ce pas ? Or, il se trouve que ce dernier est en butte à des caïds américains ; vous savez comment ça se pratique là-bas ? Dès qu'un type est plein aux as, y a une tripotée de truands qui s'intéressent à lui. Je suis chargé de veiller sur sa sécurité et celle de sa famille. Mais pour m'introduire chez les Loveme sans donner l'éveil au personnel, j'ai usé d'une ruse innocente. J'ai prétendu venir de la part de votre agence.

Voilà, maintenant qu'il est au parfum, il devient gentil, le mironton.

— Tout à votre service, monsieur le commissaire, énonce-t-il gravement en me rendant ma carte.

Des étendards tricolores défilent dans ses prunelles dissymétriques.

— Je ne demande qu'à collaborer avec la police, dit-il. J'ai fait la guerre, l'autre, la vraie, dans le train.

J'ai grande envie de lui répondre que ça n'a pas dû être commode, mais il enchaîne :

— Et mon neveu est dans les C.R.S.

— Vous êtes tout excusé, affirmé-je.

— Un détail, sourit Houquetupioge : je n'ai

pas de fils, contrairement à ce que vous venez d'affirmer à cette demoiselle. Je suis célibataire.

Je rétorque qu'il n'est jamais trop tard pour bien faire et que pour peu qu'on épouse une jeune femme, plus on a de l'âge, plus on risque d'avoir des enfants.

Ceci dit, je passe au côté professionnel.

— Voici deux numéros où vous pouvez me joindre pour le cas où cette personne demanderait à me voir...

— Entendu, comptez sur moi, monsieur le commissaire.

— Depuis combien de temps avez-vous loué la villa de l'avenue Marivaux à Fred Loveme ?

— Un mois environ.

— Pour longtemps ?

— Trois mois. Il a neuf semaines de tournage en France. C'est une coproduction, je crois.

— En effet. Vous avez traité avec Loveme ?

— Non, avec son secrétaire.

— Dites-moi, personne ne vous a demandé de... mettons, de renseignements sur lui ?

— A moi ! s'étonne le marchand de murailles.

— Concernant par exemple la maison qu'il habite ?

— Ma foi non !

— Très bien, merci. Et n'oubliez pas, si la nurse appelle, je suis à votre service, hmm ? Et vous prenez un message pour moi. Je suis M. Antoine. Vu ?

— Comptez sur moi !

Je délivre ma chaise de style, je serre la main Louis XIII d'Houquetupioge et pour la énième fois je vais rejoindre les deux tas de viande qui croupissent dans ma berline.

Pendant mon entrevue avec le patron de l'Office immobilier, le Gros est entré chez un charcutier pour acheter un pâté en croûte.

Les deux conjoints (joints surtout par la table) ont partagé ce rabiot de hachis et ils se le propulsent dans les profondeurs avec une voracité qui écœurerait le lion Atlas.

La mère Béru a de la gelée plein ses moustaches. Celles-ci semblent givrées, comme étaient givrées les baffies des grognards quand ils jouaient à saute-mouton avec l'abbé Résina après s'être assurés que Moscou n'était pas ignifugé.

Je contemple avec une horreur teintée d'admiration cette solide mégère aux lèvres grasses. Elle me sourit, d'un sourire empâté de pâté.

— Ça calme la faim, s'excuse-t-elle.

Je ne sais pas si ce kilo de bidoche broyée calme leur faim, mais je peux vous affirmer qu'il calme la mienne.

— Où qu'on va, maintenant ? s'informe le Gros.

— Aux Studios de Boulogne !

— Quoi faire ?

— Voir tourner un film. Et réjouis-toi, Béru, c'est justement une coproduction Pathé !

CHAPITRE VII

Y a branle-bas de combat aux Studios de Boulogne. Le film que tourne Fred Loveme fait couler beaucoup d'encre (et de vinaigre chez les jalminces). Il s'appelle provisoirement « L'entrée du Choléra à Marseille ». Le sujet en est simple. Un descendant de Lafayette a attrapé le choléra dans la cité phocéenne. Il va mourir. Un seul homme peut le sauver : un savant américain d'origine siouze qui déteste Lafayette et refuse d'intervenir.

La femme du descendant monte dans l'avion pour aller trouver le savant. Elle charme celui-ci au cours d'une scène extraordinaire dans son laboratoire. Et elle revient, adultère mais triomphante, avec le remède *in the pocket.*

Loveme joue le savant, Ursula-Mauve de Polignac (plus communément appelée U.M.D.P. par *Cinémonde)* joue la femme du descendant. Le descendant est interprété par

Petit-Dernier le jeune premier français (Igor Vastrianan de son vrai nom) et dans le rôle du choléra on a pressenti déjà plusieurs bacilles réputés de la Faculté de Médecine de Saint Cucufa.

A peine entré dans le grand hall des Studios, j'avise une nuée de journalistes, flash en bandoulière, qui bivouaquent ici afin de ne pas rater un éternuement du beau Fred.

Une main énergique s'abat sur mon épaule. Je reconnais mon ami Albert Larronde, du *Crépuscule.* C'est un crack du stylo à rédiger les bobards. Il a le don estimable d'annoncer les nouvelles avant qu'elles se produisent. Et il ne se donne même pas la peine de les démentir lorsqu'elles n'arrivent pas. Il est l'auteur de ce fameux article sur la rencontre Eisenhower-Khrouchtchev à la Brasserie de l'Univers pour un tournoi de dominos ; et du fameux papier concernant le tunnel sous l'Atlantique avec embranchement pour l'Himalaya.

— San-Antonio ! exulte-t-il. Qu'est-ce que ça signifie ? Je me doutais bien qu'avec ta belle gueule tu tomberais dans le ciné ! T'as toujours été le pin-up-boy de la fliquerie !

Cette rencontre m'inquiète et me ravit. Elle m'inquiète parce qu'avec Larronde je suis certain de lire dans une prochaine édition de son canard que je vais tourner le principal rôle de

« Ces petites dames préfèrent les Grosses » et je suis ravi parce que ce diable de scribouilleur est juste l'homme qu'il me faut pour me piloter dans les milieux cinoches.

— Ferme ça, tartineur, je suis en vacances et j'ai décidé de me donner du bon temps !

— En ce cas, c'est pas ici qu'il fallait venir, affirme Albert parce que comme rassemblement de dingues on ne fait pas mieux.

Si j'en juge à l'animation régnant aux Studios, je crois qu'il n'est pas loin de la vérité. Charmant type, Albert... Grand, dégarni de l'avant-toit, blond-roux avec un visage pâle et des yeux sardoniques, il porte toujours des costards à cent mille balles chiffonnés comme du papier de soie, des cravates de chez Fath tordues en corde, et des limaces dont il a toujours perdu les boutons. Ses poignets mousquetaires n'ont pas de boutons non plus et sont élégamment retroussés sur ses manches de veste. De plus, comme il est toujours en train de cavaler et qu'il n'a trouvé dans sa vie qu'une paire de lattes ne le blessant pas, il semble s'être chaussé dans la poubelle d'un clochard.

Il me coince contre une découverte représentant la rue de Rivoli. Mon derrière frotte la boutique d'un bureau de tabac et je file un coup de coude dans le deuxième étage d'un salon de coiffure pour chauves.

Le regard inquisiteur de mon ami plonge dans le mien comme deux aiguilles à tricoter.

— Écoute, beau poulet, murmure-t-il, c'est pas aux vieux singes comme moi que tu apprendras à faire des grimaces. Si tu crois m'endormir avec tes histoires de vacances, tu te trompes. Qu'est-ce qui se mijote, mon Grand ? Tiens, si tu as des bontés pour moi, je te passerai une série de photos à la Une du *Crépuscule*. Toi à toutes les périodes de ta vie, depuis l'époque où tu suçais ton pouce, jusqu'à celle où tu le colles dans les yeux de tes patients pour les inviter à parler...

Ce sacré Larronde ! Il est encore plus baratineur que moi.

— C'est formidable, dis-je en lui cloquant un coup de genou dans les breloques manière de lui faire lâcher prise, c'est formidable, Bébert, parce que j'appartiens à la Société Pouleman, dès que je m'amène quelque part on se figure que c'est parce qu'il y a un cadavre dans le frigo ! Je t'assure que je viens ici par pure curiosité. Depuis que je ligote tes insanités dans le *Crépuscule* j'ai envie de voir de près un plateau. Et j'ai choisi celui de Fred Loveme parce qu'on ne parle que de ce beau ténébreux... Voilà tout !

Larronde me dévisage avec insitance, puis il comprend qu'il n'obtiendra rien de moi sur le plan confidences.

— Tu veux que je te pistonne pour voir tourner l'idole des petites refoulées internationales ?

— J'allais t'en prier...

— Ça joue, amène-toi, je suis dans les papiers de Bill Hanteth, le metteur en scène, depuis que je lui ai déniché un cheptel de beautés peu farouches pour esbaudir ses soirées.

Larronde connaît les studios de France mieux que son appartement où il ne fout jamais les tiges. Il me guide dans un dédale de larges couloirs encombrés, où rampent des câbles électriques. Je défile devant une rangée de chaises Empire, je contourne une cheminée flamande en fausse céramique, j'enjambe un mannequin d'osier et je m'arrête, escorté toujours de Bébert, devant une porte si épaisse que vous pourriez installer confortablement une famille de douze personnes à l'intérieur.

Une lampe rouge brille au fronton de cette porte.

— Le rouge est mis ! annonce Bébert.

Il continue de me couver d'un petit œil visqueux. Il a le regard qui adhère comme un timbre-poste.

Pour dissiper le malaise que je ressens, j'interroge :

— C'est bath, le film ?

— Comme tous les films nouveaux, lamente

cette machine à débiter des points d'exclamation. Depuis que les mœurs ont évolué, y a plus moyen de raconter une histoire valable.

Branché sur la force, il ronronne à plein régime.

— Tu comprends, commissaire de mes Choses, une histoire, c'est un monsieur qui a envie de se farcir une dame et qui, pour une raison X, Y ou Z, ne peut y parvenir avant la fin du film ou du bouquin. Mords le Cid, par exemple, ça c'est l'histoire type Maintenant, à notre époque d'aberration, quand un monsieur désire une dame, ben, y se l'envoie nature, en vitesse et sans convoquer le conseil de famille, tu piges ? Dans ces conditions, y a pas d'histoire possible !

La lampe rouge s'éteint. Un machino délourde.

— Amène-toi ! lance Albert...

Il pénètre sur l'immense plateau exactement comme dans une pissotière. Il est chez lui partout, Larronde. Quand il est reçu quelque part, ce sont les hôtes qui ont l'air d'être en visite chez eux.

Un brouhaha infernal règne ici. Les projecteurs m'éblouissent ; les allées et venues me chavirent, de même que la chaleur. C'est plein de mecs sapés de velours, de daim et de polos. Ça jacte français et anglais.

Larronde enjambe les arcs-boutants des

découvertes et nous débarquons en pleine lumière, dans une rue de Marseille magnifiquement reconstituée. Y a même les pavetons, et, tout au fond, le Vieux Port.

— Tiens, fait Albert, le ouistiti chauve comme une noisette que tu vois se démener près de la caméra, c'est Bill Hanteth, le metteur en scène. Tu sais combien on lui file de défraiement pour son séjour en France ? Deux mille francs par jour ; de défraiement seulement. Il arrive pas à claquer tout ça, aussi c'est le père Noël des petites coucheuses de Paris.

Nous contournons une forêt de gamelles sur trépied. Un peu à l'écart, je découvre Fred Loveme. C'est du mec sensas, je dois en convenir. Il est assis sur un fauteuil de toile marqué à son nom. Il porte un complet d'alpaga caca-d'oie, une chemise crème, une cravate lie-de-vin. Il garde les yeux mi-clos. Par contre, il a la gueule grande ouverte et un grand zig à tronche de déterré lui vaporise quelque chose sur les muqueuses...

— Qu'est-ce qu'il fait ? demandé-je à Bébert.

— C'est des antibiotiques, Loveme trouve que les studios français manquent d'hygiène, alors il prend ses précautions. Une bête de ce prix-là, ça se soigne. Rends-toi compte qu'il vaut huit cents briques par film, ce bipède ! Ça remet cher la syllabe qu'il prononce...

Très détendu, Larronde aborde l'acteur.

— Hello, Freddy ! aboie-t-il.

Loveme ouvre ses châsses et ferme sa bouche comme s'il ne pouvait concilier l'ouverture des deux.

— Hello ! Bob !

— Je vous présente un ami à moi, dit Larronde, en anglais et en me désignant. Un très bon pote, qui meurt d'envie de vous connaître.

Un bref instant j'ai eu le traczir en pensant que Bébert allait peut-être décliner ma profession. Il ne l'a pas fait, et je suis certain qu'il s'agit d'une omission volontaire. Ce diable de scribouilleur est un grand psychologue. Il me connaît. Il sait que je me fous des acteurs comme de ma première chaude pelisse et que si je viens fouinasser dans ce studio, c'est pour un motif sérieux.

Intimement, je lui sais gré de cette discrétion, et mon amitié pour lui s'en trouve renforcée.

— Hello ! me fait le gars Fred.

Il écarte le mec au vaporisateur, me cligne gentiment de l'œil et s'étire. Il n'a pas l'air mauvais bougre, Loveme. Il fait un peu vedette blasée, et ses cellules grises ne doivent pas l'empêcher de dormir, mais c'est pas le mauvais cheval, on le pige tout de suite.

— Voilà l'homme ! dit Albert...

Comme j'ai une mimique d'inquiétude, il hausse les épaules.

— On peut y aller, il parle pas français. Il a assez de mal d'ailleurs pour parler américain. C'est de la fleur de faubourg yankee, ça, mon vieux. Ses humanités, il les a faites chez les putes de Philadelphie et ce sont les perdreaux de là-bas qui lui ont enseigné, à coups de trique, la différence qu'il y a entre le bien et le mal. Il n'en a que plus de mérite à avoir réussi, non ?

— Tu parles.

Le Fred m'est tout à fait sympa, maintenant. Par-delà ses airs de casseur nonchalant, on flaire une espèce de détresse, de solitude humaine.

— Beau gosse, hein ? dit Bébert, du ton d'un maquignon vantant sa camelote. Ça a du sang polak et irlandais dans les veines et voilà le résultat ! Ah ! les Ricains, ce sont de sacrés bonshommes. Pas de passé, mais quel avenir !

— Qu'est-ce qu'il dit ? me demande Fred avec un nouveau clin d'œil.

Si je pige l'anglais, vous le savez, je le parle avec difficulté. J'y vais pourtant d'un petit blabla à ma façon qui fait marrer la vedette.

— Qui est ce grand dépendeur de hot-dogs ? m'enquiers-je en montrant l'homme au vaporisateur.

— Son secrétaire. Il lui sert de manager, de femme de chambre et de souffre-douleur... Il s'appelle Elvis ; c'est une pédale merveilleuse, du genre ténébreux...

Je contemple rêveusement l'intéressé. Ne serait-ce point par hasard l'homme qui a enlevé la digne Mme Bérurier ?

Il me vient une idée.

— Ça me ferait plaisir d'avoir une photo de Loveme, dis-je. Pas une photo du film, mais un flash de détente, comme par exemple maintenant, en train de se faire vaporiser le clapoir... Tel que je te connais, t'as pas dû laisser passer un tel cliché !

— En effet, admet Albert. Si tu en veux une, c'est fastoche, mon photographe est justement là avec son album.

Il s'éloigne un instant. Loveme me demande si je suis dans la presse. Je lui réponds par l'affirmative !

Le secrétaire remise son matériel à désinfecter les palais dans un coffret de fer.

Pourquoi cette boîte métallique me fait-elle penser à celle qu'a mentionnée la Gravosse dans son récit. Vous savez, la boîte contenant l'éponge imbibée de chloroforme ?

Je m'invite au calme... « Mon petit San-Antonio, te laisse pas embarquer par ton imagination, ça peut te mener trop loin... »

Larronde revient avec un carré de papier glacé entre le pouce et l'index.

— Ça te va ? me dit-il, narquois.

L'image représente le secrétaire de Loveme, de face, s'occupant de son patron, tandis que l'acteur, lui, est de dos.

Le sourire de mon ami est machiavélique.

— Avoue que c'est le grand qui t'intéresse, Tonio ? Je l'ai pigé rien qu'au regard que tu lui as balancé. Y a un coup fourré à la clé, j'en suis certain. Écoute-moi bien, je veux bien t'affranchir et t'aider au maxi, mais si, le moment venu, tu ne me donnes pas la priorité, je passe une photo montage de toi te représentant à poil sur un âne avec une balayette de gogues dans les pognes comme emblème de ta profession.

CHAPITRE VIII

Les Béru ont leur tronche des mauvais jours. Il commence à faire faim sérieusement et le pâté en croûte n'a été qu'une pâquerette dans la gueule d'une vache. La vioque, surtout, est furibarde. Elle a les aigrettes qui tremblent d'indignation.

A l'intérieur de la bagnole, il fait très chaud et ils sont rouges comme des écrevisses, les deux prototypes du couple idéal.

— Vous en avez mis, du temps ! rouscaille la baleine en montrant ses fanons. Vous ne vous rendez pas compte que nous croupissons dans votre voiture depuis ce matin !

Je m'évite de lui rétorquer ce que je pense, à savoir qu'ils devraient plutôt croupir dans un bocal à cornichons si on avait un grand souci de la vérité.

Rongeant mon frein, comme disent les coureurs, je lui tends la photo d'Elvis.

— Vous reconnaissez ? coupé-je.

La mère Béru abat son regard faisandé sur le rectangle de papier glacé.

— Non ! dit-elle, catégoriquement, jamais vu c't'oiseau, qui est-ce ?

Je suis déçu. Quelque chose me disait, dans ma Ford intérieure, que le secrétaire avait un rapport (façon de parler) avec cette histoire plus ténébreuse que lui.

— Vous en êtes absolument certaine ? insisté-je. Regardez-le bien !

L'obèse se met à crépiter comme une crécelle de môme.

— Enfin, quoi, vous croyez que je suis gâteuse ! Je sais reconnaître les gens que je connais ! Et...

Elle cherche à exprimer l'idée contraire, ce qui présente certaine difficulté. Mais, dans la vie, l'essentiel c'est de se faire comprendre, vous ne croyez pas ?

Je glisse la photo de l'homme au vaporisateur dans la boîte à gants.

— O.K. ! fais-je, disons que nous avons fait chou blanc.

— Chou blanc ! tonne cet Himalaya de mauvaise graisse. Chou blanc ! Et la maison, c'est que dalle ? Je vous dis que elle, je l'ai reconnue...

— En somme, Dame Bérurier, vous n'avez reconnu que ce que vous n'avez jamais vu...

Ça la cloue. Le Gros en profite pour rigoler, alors sa vioque se retourne et lui file une baffe sur le groin.

Les choses se gâtant très rapidement et n'ayant aucun désir de disputer un match de catch avec Berthe, je me hâte d'aller déposer le ménage devant son étable.

— A la revoyure, mes chers, leur dis-je. Si j'ai du nouveau, je vous fais signe...

Ouf ! Bon débarras. Je me paie un jeton dans mon rétroviseur. Le couple, piqué au bord du trottoir, gesticule comme un banquet de napolitains sourds-muets. Belle tranche de vie, les gars ! Béru et sa baleine, c'est de l'épopée quotidienne ! Le plus extraordinaire, c'est que ça respire, ça pense (un tout petit peu) et ça mange (oh ! oui) comme tout le monde. Il s'est renouvelé, le bon Dieu, quand il a conçu ses créatures. Tu parles d'un catalogue fourni ! A bien y gamberger, ça vous cloque le vertige comme si on suivait à cloche patte la rambade de la Tour Eiffel.

Le cadran solaire de mon tableau de bord annonce une plombe de l'aprème. Mon estomac renchérit et je décide d'aller me farcir une assiette de choucroute dans une brasserie. Pendant ce temps, ma voiture s'aérera, se videra de la forte odeur du couple.

J'achète un journal du soir et je vais m'attabler du côté de l'École Militaire dans un établissement tout en formica.

A la table voisine de la mienne, il y a deux petites mômes ravissantes, en blouse blanche, avec leurs jaquettes jetées sur l'épaule, qui briffent un sandwich long comme la clarinette de Sydney Bechet. Je leur souris par-dessus mon canard. Elles pouffent. Un rien fait marrer les petites péteuses. Quand elles sont deux elles se croient fortiches, seulement quand vous en coincez une dans un coin sombre, elle se met à bredouiller « maman » en roulant des bigarreaux affolés.

D'ailleurs, c'est pas un bétail intéressant. Inexpérimenté, pas vicelard, plein d'illusion, croyant que tous les hommes se promènent avec un anneau nuptial noué dans leur mouchoir...

J'en suis revenu. Faut user de la salive pour pas grand-chose. Connaître à fond la vie de Luis Mariano, savoir sa marque de yaourt préférée... Vous repasserez !

Je préfère lire l'article consacré à l'enlèvement de Mrs Unthell. Rien de nouveau, sauf que la presse a une certaine tendance à vouloir écraser le coup. Ou je me trompe, comme disait le monsieur qui s'était déguisé pour honorer son épouse et que cette dernière n'avait pas reconnu, ou l'ambassade des U.S.A. a donné quelques coups de fil en haut lieu pour demander qu'on vaseline l'affaire.

Le rédacteur du présent faf émet l'hypothèse que la dame aurait suivi l'homme de l'aéroport sans qu'il y ait enlèvement. En effet, celui-ci n'est pas prouvé du tout. De l'avis même des témoins, le quidam en question ne semblait pas contraindre la vioque à le suivre... On pense qu'il s'agit d'un simple malentendu. Je suis prêt à vous parier un neutron adulte contre une molécule enrhumée que demain, le silence se fera sur cette histoire. C'est exactement le genre de fait divers qui glisse d'une mise en page comme une larme de glycérine sur la joue de Brigitte Bardot !

Lorsque j'ai fini l'article, la table voisine est libre, les deux tourterelles s'en étant allées à leur turbin.

Je peux donc m'abîmer dans des réflexions créatrices.

Dans une enquête, lorsque, comme Descartes, on a de la méthode, il faut toujours faire le point à partir d'un certain moment ; or, ce moment vient d'arriver.

Dans l'ordre chronologique, quels sont les éléments rassemblés jusqu'ici ?

Primo : Des types enlèvent la mère Béru. La séquestrent deux jours et la remettent en liberté sans l'avoir maltraitée et sans lui donner d'explication.

Deuxio : Quelques instants après la libération de B.B. ces mêmes hommes (du moins le signalement de l'un d'eux concorde) interceptent une Américaine qui est le sosie de la grosse Berthe. Depuis on n'a plus de nouvelle d'icelle, et sa secrétaire doit se morfondre en buvant du Coca-Cola…

Troisio : Les recherches entreprises avec le concours effectif de la mère Béru nous ont conduits, à tort ou à raison, dans une villa louée par une grande vedette de l'écran pour son fils. La demeure est habitée par la nurse de l'enfant. Tout paraît très normal à Maisons-Laffitte.

Quatresio : Rien à signaler du côté de Fred Loveme. C'est un type sympathique. Son secrétaire, qui l'est moins, est inconnu de la Gravosse.

J'arrête mon énumération. Voilà où j'en suis. Tout cela signifie quoi au juste ? Le seul point à déterminer pour l'heure c'est le suivant : existe-t-il un rapport quelconque entre Mrs Unthell et Fred Loveme ?

Vous voyez que ça sert de couper les tifs en quatre ! On arrive à sérier les problèmes.

Je dis au loufiat de m'amener simultanément un café et l'addition. Je me sens dans un état d'exaltation propice aux grandes fiestas. J'ai décidé de tirer au clair ces différents mystères, et, aussi vrai que je suis le plus beau gosse de la police, je tiendrai parole.

Parole !

*
* *

En ce début d'après-midi, l'hôtel Georges-X est désert comme une salle de conférence où se produirait Mme Geneviève Bouibouis.

Un portier en livrée grise à parements rouges, qui ressemble à un général allemand de la Wermarcht, compte ses pourliches d'un air absorbé lorsque je m'annonce devant son rade.

Le hall est presque désert. A la réception, un zig en queue de pie actionne une machine à écrire d'un doigt prudent et, entre la porte pivotante et le lourd rideau de la baie, un groom blafard lit le dernier numéro de *Tintin*.

Je m'approche du portier.

— Mande pardon, un petit renseignement, s'il vous plaît ?

Il glisse une liasse de banknotes internationales dans son larfeuille et consent à me dévisager, ce dont je lui sais gré.

— Monsieur ?

— C'est bien dans votre établissement qu'était descendue Mrs Unthell ?

Il me flaire avec réprobation comme si j'étais

un oubli de chien pas propre ou une épluchure de légume avarié.

— Et puis ? demande-t-il avec un dédain qui va croissant comme une lune changeant de quartier.

Il est du type gueule-de-raie-blême-à-front-plissé. Son regard est pareil à deux furoncles à point et il a la bouche mince du gars habitué à faire payer ses mots.

Je lui cloque ma carte. Il y jette un bref coup d'œil. Le soupir qu'il exhale ressemble à une rupture de canalisation de gaz. Je suis la calamité de son turbin. L'emmouscailleur auquel il doit répondre sans espérer un pourliche.

— Vos collègues sont déjà venus, objecte-t-il.

— Vous savez bien que les mouches sont tenaces. Alors ?

— Évidemment qu'elle était chez nous, tous les journaux l'ont écrit...

— Elle est restée longtemps ici ?

— Trois semaines environ...

— Bonne cliente ?

— Excellente. Pour le restaurant surtout !

Tiens, la ressemblance avec la mère Béru est plus complète encore que je ne pensais.

— Elle recevait beaucoup de visites ?

— Je ne crois pas...

— Par exemple celle de ce monsieur ?

Et de lui montrer la photo d'Elvis. Vous avouerez que je suis un obstiné, hein ?

Il mate le portrait.

— Inconnu ! dit-il sobrement.

— Quand Mrs Unthel a-t-elle décidé de regagner New York ?

Au lieu de me répondre, il croise avec précautions ses beaux doigts fatigués par l'inaction.

— Dites donc, vous feriez mieux d'interviewer sa secrétaire, elle vous tuyauterait mieux que moi...

— Elle est ici !

— Vous l'ignoriez ? demande le portier, avec un air trop malin qui me flanque des picotements dans les phalanges.

— Annoncez-moi !

Il décroche le bignou et branche une fiche. Puis il jacte en anglais.

— Miss Tinguett vous attend, conclut-il en reposant son morceau de matière plastique. Chambre 201 !

Je m'abstiens de le remercier et je fonce à l'ascenseur monumental, tendu de velours pourpre, où un vieil English embaumé attend le bon plaisir du liftier. Le môme continue de ligoter les aventures du capitaine Haddok. Je l'interpelle.

— Hé, petit gars ! Si tu veux bien venir actionner ta fusée, nous sommes parés !

Il se pointe précipitamment.

— Four ! dit l'Anglais.

— Two ! riposté-je.

L'admirateur de Tintin ferme la grille.

CHAPITRE IX

Quand on parle d'une secrétaire, on s'imagine toujours — lorsqu'on est un gars de mon acabit du moins — qu'il s'agit d'une pin-up carrossée par Capron, aux lignes harmonieuses n'ayant pas les yeux dans sa poche mais ayant parfois sa main dans la vôtre.

Tandis que le salon volant du Georges-X me hisse dans les étages avec, pour compagnon de route, un représentant de sa Gracieuse Majesty the queen of England, je ne puis m'empêcher d'imaginer Miss Tinguett, dont le patronyme est évocateur de cuisses agiles. Sa nationalité américaine me fait gager que les siennes sont longues et fines, qu'elle a des cheveux auburn et des yeux couleur de crépuscule sur le grand Cañon du Colorado.

Hélas ! ce vagabondage dans le sirop est de courte durée.

La dame qui m'ouvre la porte numérotée 201

est à plusieurs années-lumière de la gracieuse image que j'escomptais. Un bref instant j'espère qu'il s'agit de la lingère de l'hôtel, mais l'accent yankee de mon interlocutrice met *out* mon reliquat d'illusions.

— Miss Tinguett ?

— Yes, come in !

Remarquez qu'elle n'est pas désagréable, cette personne. Elle n'est pas moche non plus. Simplement, elle a cinquante ans de trop pour mon goût. C'est une délicieuse et malicieuse petite vieille à cheveux blancs vaporeux. Des lunettes d'écaille lui donnent un air étonné qu'accentue son nez retroussé.

Elle porte une jupe mauve, un corsage crème, des bracelets en celluloïd entièrement taillés dans la masse et des souliers de satin enrichi de broderies en fil de fer galvanisé.

— Vous parlez français ? demandé-je.

Elle gazouille un rire pareil à la clochette d'un président réclamant le silence.

— Oui, naturellement. C'est pourquoi Mrs Unthell m'avait engagée moi ! Je pouvoir faciliter le séjour en France d'elle, naturellement ! Je véquiou à Paris avant la guerre...

Je suppose qu'elle veut parler de celle de 70.

Elle est de l'espèce éloquente, système juke-box. Vous foutez vingt ronds dans la boîte, et vous n'avez plus à vous occuper de rien.

J'essaie pourtant de soulever le bras du pick-up.

— Je viens au sujet de la disparition de Mrs Unthell…

— Oh ! je supposais que c'était ! poursuit l'aimable petite vioque.

Elle me désigne d'autorité un fauteuil-crapaud. Ayant reçu mes cent soixante livres, ce dernier devient un fauteuil-limande.

— Navrante affaire, n'est-ce pas, Miss ?

Elle court à une bouteille de whisky et emplit à moitié deux verres. Avec des doses pareilles, vous pouvez endormir n'importe qui. Elle me tend un glass et se sert de son autre main pour vider le sien. Ça ne lui fait pas plus d'effet qu'un verre de Vitelloise.

— Ce n'était qu'une affaire fantaisiste, affirme-t-elle.

— Qu'entendez-vous par-là ?

— Je suis été inquiète tout de suite du départ manqué par le avion… Mais Mrs Unthell est très… très…

La v'là qui se lève et qui cramponne un dictionnaire. L'ayant feuilleté, elle articule :

— Très braque !

— C'est-à-dire ?

— Elle était beaucoup capricieuse, yes… Pendant le séjour en la France elle voulait acheter un château de la Loire river… Mais n'en pas trouvait. Je suis de parier que l'homme à l'aéroport c'était un démarcheur qui avait trouvé. Avant de venir to Orly, il était passé ici, et s'était dit venir d'une Agence américaine que Mrs Unthell (prononcer Yountell) avait chargé du démarche.

— Vous n'avez pas parlé de cette hypothèse à la police et aux journalistes ?

— Oh ! si... But ils n'ont pas voulu croire que ce pouvait être. Ils voulaient kidnapping avec sensation pour les journaux.

Elle me remet son rire chevroté. Derrière ses hublots, ses yeux candides pétillent d'amusement.

— Alors Mrs Unthell aurait suivi l'homme sans vous prévenir ?

— Quand elle était contente elle n'était plus de penser à rien d'autre...

— Et vous êtes persuadée qu'elle va revenir ?

— Naturellement !

— A quelle agence s'était-elle adressée, pour ce chateau ?

La petite vieille hoche la tête. Elle tripatouille ses colliers à deux dollars la grosse et fait la moue. Une moue d'institutrice libre.

— Je ne sais pas. Elle avait téléphoné de les États-Unis avant notre départ pour le France.

— Et une fois à Paris, elle n'a pas contacté l'Agence ?

— Non, mais c'est l'Agence qui est venue ici...

Je lui présente la photo d'Elvis.

— Ce monsieur ?

Elle y jette un coup d'œil rapide. Son visage est inexpressif.

— Non.

— Et on lui avait donné une réponse favorable ?

— Je n'étais pas à la conversation... But Mrs Unthell m'avait dit que ce n'était pas encore trouvé...

— Quel était l'objet de ce voyage en France ?

Elle se marre de nouveau, cette vieille tête de linotte.

— Just vacances ! Paris est une merveilleuse pays ! Mrs Unthell ne pas connaître avant.

— Naturellement, poursuis-je, vous connaissez Mr Unthell ?

— Mais oui ! exulte la chère vieille chose comme si elle énonçait une joyeuse calembredaine... Mais oui, c'est fatal !

— Que fait-il ?

Elle pouffe, écarte les doigts de sa main gauche en éventail et, les couchant l'un après l'autre, annonce :

— Baccara ! Scotch ! Petites demoiselles ! Hmmm... Bateaux ! Autos !

Maintenant sa main ressemble à une feuille

morte élimée par les intempéries. Elle est l'image de M. Unthell, que je n'ai pas l'honneur, ni le désir d'ailleurs de connaître.

A ce régime-là, il n'est pas loin de l'infarctus, Unthell ! D'autant plus que les Ricains ont le battant vasouillard.

— Quel âge a-t-il, ce bambocheur ?

Elle éclate de rire :

— Comment appelez-vous ?

— Bambocheur ! Ça veut dire foirineur, dévergondé, et bien d'autres trucs encore...

— Oh ! I see ! Il est vieux de vingt-trois ans !

A cette seconde, je dois ressembler au spectateur de bonne volonté qu'un prestidigitateur a invité sur la scène pour l'endormir, et qui se réveille sans son pantalon.

— Vingt-trois ans ! répété-je... Il y a maldonne... Je ne parlais pas du fils, understand ! No the son ! Mais le mari de Mrs Unthell...

— Oui ! oui, c'est le mari... Il n'est que de vingt-trois ans vieux ! s'obstine la vieille secrétaire.

— Grand Dieu, mais quel âge a donc Mrs Unthell ?

— Cinquante-trois ans !

Trente piges d'écart ! Merde ! Elle les prend dans une couveuse, ses conjoints, la doublure à la mère Béru ! Vingt-trois ans, toutes ses dents et s'embourber une gravosse pareille pour croquer ses picaillons !

— Les journaux ont dit que Mr Unthell était un grand businessman !

— Le premier mari, yes... Mais il est mort de deux ans...

Et la pauv' veuve l'a illico remplacé par un zigoto de la maternelle ! Elle a dû se dire qu'il lui ferait plus d'usage.

— Comment marchait ce merveilleux ménage ?

Elle a du mal à réaliser ma question, je répète...

Miss Tinguett hoche la tête, attristée pour la première fois.

— Ce n'était pas un bonheur pour ma patronne. Steve Unthell ne voyait jamais elle... Voilà pourquoi elle venir en France pour chasser le... comment dites-vous, noires idées !

Je pige tout.

— Unthell est prévenu de la disparition de sa femme ?

— J'ai adressé câble hier, mais il doit faire séjour à Las Vegas ou en Floride...

Je pense que cette gentille pie borgne m'a appris l'essentiel. J'entrevois déjà une solution : le jeune, beaucoup trop jeune époux, payant des gangsters pour escamoter sa nana en France, c'est-à-dire loin des complications. Ainsi il reste seul avec la fortune de la vioque et alors à sa pomme la grande vie !

— Une dernière question, Miss Tinguett, votre patronne connaît-elle Fred Lovenne ?

Elle joint les mains, extasiée.

— Oh ! yes... Elle est folle de ses films...

— Je veux dire : le connaissait-elle en personne ?

La petite vieille trépidante secoue la tête.

— Non, c'est très dommage. Je aimerais connaître aussi ce merveilleux beau acteur... Avez-vous son film « The Hand to the Baba » ? Il est sensationnel...

Comme je n'ai nulle envie de causer cinéma avec elle, je prends congé. Elle me dit qu'elle restera au Georges-X jusqu'au retour de sa patronne et que si j'ai besoin de quelque chose, je ne serais que de venir bavarder avec elle !

Me revoici dans l'ascenseur. Pour la plongée, je suis escorté d'un maharadjah couleur de pain brûlé et d'une ravissante Allemande à peau rose, à poils blonds, à z'yeux gris dont les nichons sont en capot de Volkswagen et le sourire en forme de croix gammée.

CHAPITRE X

En sortant de l'hôtel je coule un regard scrutateur sur le beffroi de ma montre-bracelet. J'y lis trois plombes. Il me revient alors à l'esprit que j'ai rambour à trois heures trente avec ma voisine de gala d'hier... Je décide de me remettre provisoirement en vacances, mais, auparavant, comme disent les Chinois, je téléphone au burlingue.

Je tombe sur Pinaud. Identifiant ma voix, il s'empresse de me dire que sa cicatrice d'appendicite rougeoie et qu'il a perdu 1 franc ce matin en achetant un bif de la Loterie. In petto je pense que c'est trois balles au total qu'il a perdues car je ne vois pas Pinache gagner quoi que ce soit dans une loterie, fût-elle nationale.

— Pinuchet, lui dis-je, tu vas chercher s'il existe en France des agences américaines se chargeant de trouver des appartements aux ressortissants des States en visite à Paris... Si oui, entre en contact avec ces boîtes et débrouille-toi pour savoir si une certaine Mrs Unthell n'est pas leur cliente...

— Mrs Unthell, bavoche Pinaud, c'est la Ricaine d'Orly ?

— Dis donc, mec, t'es bigrement documenté, c't'année... T'as pris un abonnement à S.V.P. ?

— Non, au *Parisien Libéré*...

La vieille baderne mêle un rire lugubre.

— Figure-toi, au sujet de cette vieille amerlock, on s'est bien amusé au bureau, c'est le portrait tout craché de la femme à Béru... Écoute, tu devrais acheter le canard, c'est frappant !

— Je n'y manquerai pas, assuré-je, en attendant, fais ce que je te dis et manie-toi la cicatrice !

Je raccroche, conscient d'avoir fait mon devoir, tout mon devoir et même un peu plus... C'est class pour aujourd'hui.

Je pilote ma tire jusqu'aux Grands Boulevards et par chance je trouve une place à Richelieu-Drouot. J'ai rancard au Madrid, et je suis à l'heure, ce qui m'arrive rarement.

L'orchestre joue « File-moi le train », chanson ferroviaire en trois couplets et un passage à niveau de S.-N. Céeff, le célèbre compositeur russe à voie étroite.

Je fais le tour des tables. Les consommateurs,

qui sont pour la plupart des consommateuses, me regardent, s'attendant à ce que j'entreprenne une quête pour les inondés du Mont-Blanc.

Je finis par découvrir, dans un renfoncement, ma brunette de la veille.

Peureuse, elle m'adresse des petits signes pour attirer mon attention.

On se dit bonjour, un peu gauchement. Vous remarquerez que lorsque vous chargez une bergère au pied, dans un lieu public, tout va bien, vous n'avez qu'à laisser faire vos godasses.

Seulement, ensuite, quand vous vous trouvez en tête à tête avec la dame en question, il se produit un temps mort désagréable. On est godiche, on se regarde sans oser se parler et on trouve avec difficulté d'affreuses banalités...

— Je ne vous ai pas trop fait attendre ?

— Non, j'étais en avance...

— Il fait beau aujourd'hui, hein ?

— Oui, ce matin il tombait des gouttes, on aurait cru que...

— C'est vrai, on aurait cru ; et puis vous voyez...

— Remarquez que c'est l'époque qui veut ça...

— On ne sait plus comment on vit, les saisons ne se font plus depuis que ces bombes atomiques détraquent le temps...

Cette littérature étant fignolée, il se produit un silence, du moins entre nous, car l'orchestre remet ça en interprétant « Les éléphants se mouchent de bonne heure » extrait du film « Qu'elle était vierge ma forêt ».

— Alors, comme ça, murmure la brunette, vous êtes le commissaire San-Antonio ?

— Comme ça, oui... J'essaierai de faire mieux la prochaine fois.

J'ai hâte d'embarquer ce petit lot. Elle est gentillette, notez bien, mais fringuée comme une femme de garde champêtre.

Nous autres, les élégants, les incroyables de la poule, nous n'aimons pas exhiber les souris loquées façon grande banlieue.

Notre orgueil de mâle se rebiffe. Il nous faut du revêtement signé Ballemain, de la pelure à grand spectacle. C'est pourquoi les pétasses ont tant de succès. Les bonshommes sont tellement crâneurs qu'ils préfèrent balader un vison plutôt qu'une brave petite fille relingée à la chambre comme à la ville par les Dames de France. Naturellement, les mousmés ne l'ignorent pas, conclusion, elles font des pieds et des fesses pour se payer les carrosseries de luxe. En vertu (si je puis dire) de ce principe, les clandés refusent du monde. C'est plein de licenciées sur les trottoirs de la rue Tronchet ; elles préfèrent préparer leur science-peau de cette façon-là, because la marge bénéficiaire est importante. Elles seront jamais reçues en audience privée par la reine d'Angleterre ou par sa Sainteté vu que les audiences privées c'est elles qui les accordent.

Il suffit de leur faire passer un faf de cinq raides en guise de carte. Seulement voyez la garde-robe ! Du chouette, cousu-pogne et des bijoux en vraie joncaille ; pas du rutilant made in Murano : de l'authentique qui meurtrit la rétine !

Tout est pelure en ce bas monde ! Par les temps qui courent, il vaut mieux faire le trottoir que faire son Droit. C'est d'un meilleur rapport ; sexuellement parlant surtout.

Ah ! je voudrais vous écrire un de ces quatre l'histoire de l'homme, intégrale, avec planches en couleurs et index des prix. Toute l'histoire de l'homme ! De l'infusoire à Brigitte Bardot en passant par Pasteur et avec un arrêt facultatif à San-Antonio.

— Vous êtes parisienne ? Ça se voit tout de suite, m'enquiers-je en ponctuant ma phrase d'un sourire irrésistible.

— Presque ! dit-elle. Je suis née à Lorient, mais la famille de mon oncle est de Levallois.

— Et que faites-vous dans l'existence, quand vous ne venez pas à mes rendez-vous ?

Elle me virgule un coup d'œil couleur d' « un soir qui tombe ».

— Rien, énonce-t-elle distinctement.
— Vous ne travaillez pas ?
— Non. Mon mari a une bonne situation...
— Qu'est-ce qu'il fait ?
— Sous-brigadier...

Il faut croire que l'agent ne fait pas le bonheur, dirait Breffort. Je feuillette d'un index nonchalant un exemplaire de *Ciné-Alcôve*, cette revue qui est au cinéma ce que le bidet est à l'industrie sanitaire.

— Je lisais cela en vous attendant, dit-elle, c'est fou ce qu'ils sont documentés dans ce journal. Il paraîtrait que Sophia Loren a eu sa première dent de sagesse à quinze mois...

Je m'abstiens de pousser les exclamations qu'elle serait en droit d'attendre de moi. Mon attention est consacrée exclusivement à un article sur Loveme. On le voit, débarquant à Paris pour tourner les séquences de *L'Entrée du choléra à Marseille.* Il est sur le quai de la gare Saint-Lago grandes lignes, avec sa femme, son secrétaire, la nurse, ses valoches, son Oscar sous cellophane et son rejeton dans ses bras. Y a que devant les flash des photographes de presse qu'il se sent la fibre paternelle, le beau Fred. Il montre son lardon au peuple, comme s'il avait une dynastie à assumer. Les hommes, plus ils ont un grand nom, plus ils sont fiérots de leurs chiares. Ils s'imaginent que leurs mouflets vont, non seulement perpétuer leur gloire, mais encore la redorer à l'or fin... Utopistes ! Vous remarquerez que les descendants sont vraiment descendants. Sauf de rares exceptions. Un fils d'homme célèbre c'est un coucou qui niche dans la gloire du father. Il utilise les cartes de visite à son dabe pour faire ouvrir les portes. Tout ce qu'il fait, c'est toucher des jetons de présence. Il vit de la société Papa sans trop se cailler le raisin.

Je vous parie le chapiteau d'Amar contre un chapiteau corinthien qu'après la rafale de magnésium il a refilé le petit Jimmy à la Suissesse, vite fait, Loveme, avant que l'enfant du miracle ne pisse sur son beau costar.

Je m'aperçois que depuis un instant je ne parle plus. C'est mauvais de laisser refroidir les conquêtes. Une femme de sous-brigadier, ça doit se tenir au chaud comme un fer à souder.

— Quel est votre prénom ? je demande langoureusement.

— Virginie !

— Merveilleux !

— Vous trouvez ? Mon mari dit que ça fait cuisinière...

— Il n'y connaît rien. C'est un prénom dont on aime se repaître... Je voudrais vous le susurrer à ma façon...

— C'est quoi, votre façon ?

— Une bonne façon. Mais je peux pas vous montrer en public, y a des mineurs dans la salle et, systématiquement, je suis interdit aux moins de seize ans.

Le moment est venu de lui placer ma botte secrète. C'est toujours à l'arraché qu'on emballe les frangines.

— Il n'y a pas des moments où vos contemporains vous puent au nez, Eulalie ?

— Virginie ! rectifie-t-elle.

— Ma question reste valable...

— Oui, c'est vrai... Je trouve les gens fatigants, dit-elle. Ils sont si méchants...

Air connu, formule brevetée par Fernand Raynaud.

— Si vous vouliez, hasardé-je, nous pourrions aller faire une cure d'isolement dans un studio que je connais à quatre pas d'ici, rue Corneille.

— Vous croyez que c'est sérieux ?

Je n'ai encore jamais dégauchi une seule dame qui, en pareille circonstance, ne m'ait pas fait cette objection.

— Non, avoué-je, courageusement. Ce n'est pas sérieux du tout, mais c'est follement distrayant...

— Je suis une honnête femme !

— Je l'espère bien, sinon il y a belle lurette que votre mari vous aurait arrêtée. On y va ?

J'intercepte le garçon, je paie nos consommations et me lève. Elle roule son *Ciné-Alcôve* (tous les dessous du cinéma) et me suit avec une passivité qui me fait dire qu'en elle le sang breton est le plus fort.

Je la conduis dans un petit coinceteau que je connais et que je pratique assidûment dans les cas semblables. Ça s'appelle « Comme chez soi » et les gens viennent y faire ce que, précisément, ils ne peuvent faire chez eux. Trois étages de cases avec eau chaude, divans à ressorts et lavabos à répétition...

Une merveille ! Quand une bourgeoise franchit le seuil de ce discret établissement, elle a l'impression de débarquer sur une autre planète où son mari et les convenances n'ont pas accès.

— Ce n'est pas raisonnable ! chuchote Pétronille, angoissée.

Elle avait oublié de me lâcher ça. Il ne lui reste plus qu'à m'affirmer que c'est la toute première fois que pareil événement se produit dans sa vie végétative et nous serons quittes avec les usages.

Comme la femme de chambre (et de quelles chambres) se retire, Adélaïde pense à conclure.

— Je suis folle, attaque-t-elle en dégrafant la veste trop courte de son tailleur trop long. Vous savez que c'est la première fois que...

Merci ! Maintenant on va pouvoir travailler

dans le sérieux. J'avais peur qu'elle garde ça sur la conscience ; mais Gertrude n'est pas la fille à garder quoi que ce soit, fût-ce son porte-jarretelles. En moins de temps qu'il n'en faut à Yul Brynner pour se faire la raie du milieu, la voilà en tenue de campagne. Rien dans les mains, rien dans les poches !

Cette fille est une contemplative. Elle contemple surtout les plafonds...

Je m'apprête à lui jouer la Marche Turque, pas celle de Mozart, celle de Mastar Pacha ; et en prenant mon élan, comme disait un cerf qui jouait du hautbois, je fais malencontreusement chuter sur le tapis élimé cette fichue revue cinémateuse et aphrodisiaque. Je ne sais pas si vous croyez... Moi je crois. Du moins je crois croire. Je crois croire en la malignité des hasards. *Ciné-Alcôve* s'ouvre à la page réservée à Fred Loveme. La photo de famille de la vedette réapparaît et, malgré les circonstances qui tendraient (si j'ose écrire) à cristalliser mon attention sur une image aussi cucul mais moins statique, j'accorde un ultime regard à ce groupe attendrissant. Et alors, il se produit en moi un phénomène curieux de décentralisation.

Au lieu de jouer les Trois lanciers du Bengale à moi tout seul me voilà qui saute dans mes frusques. Je me loque tellement vite que la pépée n'a pas le temps de redescendre en piqué de ce septième ciel où elle fonçait à tire d'aile.

— Excusez-moi, Mélanie ! bredouillé-je précipitamment, nous remettrons l'entretien prévu à une date ultérieure, je viens de me souvenir que j'ai oublié de fermer le robinet du gaz en partant de chez moi. Et je crois bien que j'ai du lait sur le feu ! Pour la sortie, vous ne pouvez pas vous tromper : c'est en bas, et y a une flèche qui l'indique... Amitiés au sous-brigadier, il aura sûrement de l'avancement un de ces jours...

Tout ça pendant que je reboutonnais mon grimpant et laçais mes targettes.

La pauvre Pulchérie est béante d'incompréhension. Vous devez penser que je me comporte comme le tout dernier des mufles, et pour une fois je vous donne raison ; mais il m'eût été impossible de sacrifier à Vénus, comme disent les empêchés qui estiment que l'amour est un sacrifice, après avoir fait une constatation susceptible de chambouler pas mal de choses !

Je ne veux pas vous dire quoi pour le moment parce qu'après tout je peux me gourrer et que si le cas échéait, perfides comme vous l'êtes, vous ne manqueriez pas de me faire sentir que je suis une truffe.

Toujours est-il que plantant là la sousbrigadière je mets le cap sur Maisons-Laffitte à une allure qui fait sortir les carnets de contredanse des poches de flic les plus profondes.

CHAPITRE XI

Avant que de m'engager dans les allées du parc de façon cavalière, je m'octroie une halte devant l'agence Houquetupioge.

M. Houquetupioge fils est là, dans ses pantoufles ; le jour déclinant l'a incité à actionner le commutateur de sa lampe de bureau et, dans la lumière verte de l'abat-jour, il ressemble à un hareng qui aurait entrepris à pied la traversée du Sahara.

— Déjà ! dit-il. Eh bien, vous avez fait vite...

Je suis surpris sur les rebords.

— Pardon ?

— Je suppose qu'on vous a fait la commission, non ? Ça fait dix minutes que je vous ai appelé aux différents numéros que...

Je perturbe sa faconde :

— Je passais par hasard, qu'y a-t-il de nouveau ?

— La demoiselle est venue...

— La nurse ?

— Oui. Elle a demandé après vous. Je lui ai dit que vous étiez chez un client et que...

— Alors ?...

— Elle a paru contrariée. Elle m'a dit qu'elle vous attendait avenue Marivaux...

Je ne laisse pas le temps à Houquetupioge de terminer sa phrase. Je suis déjà au volant de ma chignole avant qu'il ait eu la présence d'esprit de refermer la bouche. Bien que la vitesse soit limitée dans le parc, j'appuie sur le champignon. Je manque écraser une vieille dame, un jardinier et un marchand de journaux à vélo. Ce dernier me traite de noms qui, s'ils ont droit de cité dans le Larousse, y prennent un sens différent. J'arrête. Il s'imagine que je veux lui ramoner le pif et, courageusement retrousse ses manches.

— Vous avez *Ciné-Alcôve ?* lui demandé-je.

Abruti par la surprise, il renifle sa rogne.

— Mouais...

— Donnez !

Il puise dans sa sacoche fixée au porte-bagages... Je lui cloque une pièce blanche et me barre sans attendre la monnaie.

Un instant plus tard, qui est-ce qui fait drelin-drelin à la grille des Veaupacuit ? C'est votre San-Antonio joli !

Comme naguère, et comme précédemment, la nurse vient m'ouvrir... Elle n'est plus sapée de la même façon... Elle porte une robe grise, ouverte sur le devant et boutonnée par-derrière... Ce genre de fringue est merveilleuse à dégarpiller. On a l'impression d'écosser un haricot...

Elle s'est coiffée à la Joséphine (pas celle de Jo Bouillon, celle de l'imperator Rex) et son maquillage serait signé Héléna Rubinstein que ça ne serait pas fait pour me surprendre.

Elle m'accueille avec le même mot que le Révérend Houquetupioge.

— Déjà !

— Vous voyez que je n'ai pas chômé. Je suis revenu au bureau tout de suite après votre départ... Vous désiriez me voir ?

Elle a un sourire léger qui lui vaudrait les circonstances atténuantes si elle avait revolvérisé un mari.

— Oui.

— Puis-je savoir...

Elle me toise d'un air fripon. Quand une petite Suissesse se met à vous bigler comme ça, ça veut dire qu'elle pense à des trucs qui n'ont rien à voir avec l'étude du Moulin à Vent dans la Société Moderne.

— Vous m'aviez fait une proposition intéres sante, tout à l'heure...

— Paris by night ?

— Oui.

— Et vous l'aviez refusée...

— Parce que j'étais obligée de rentrer de bonne heure à cause de Jimmy...

— Je croyais qu'une femme de ménage...

— Certes, mais elle ne le garde que quelques heures, car elle est mariée et son époux ne veut pas qu'elle découche...

— Et son vieux est parti faire une période militaire, ce qui laisse toute liberté à la dame ?

Elle pouffe.

— Oh ! non... Mais Mrs Loveme avait la nostalgie de son enfant ; tout à l'heure elle est venue le chercher... Je suis donc libre jusqu'à demain matin...

Je me livre à un transport de joie en commun.

— Veine ! Vous avez donc étudié à tête reposée ma proposition, gentille Zurichoise, et vous vous êtes dit qu'à la rigueur je pouvais être un guide convenable ?

— Exactement...

— Si bien que vous êtes prête à m'accompagner pour une virée des grands ducs ?

— Oui.

Le feuillage frissonne dans l'ombre. La brise du soir est mutine. Je suis heureux, soudain, béat, détendu, ravi... Et aussi, mais alors ne le répétez à personne : fier de moi. N'insistez pas, je ne vous dirai pas pourquoi.

— Vous ne pensez pas que ce serait le moment de me dire votre nom ?

— Estella !

— Sensationnel !

Marrant, non ? Il y a une paire d'heures je posais la même question à une autre donzelle et j'avais une réaction similaire. C'est bon de recommencer...

Comme quoi, avec les femelles, il suffit de mettre un numéro au point et de l'enregistrer sur disque souple. Dans le fond, c'est comme la cuisine : la même recette fait plaisir à des tas de gens...

— Le temps de prendre mon sac et je suis à vous, affirme-t-elle en s'élançant en direction de la gentilhommière des Veaupacuit.

Je la regarde s'éloigner, preste, légère dans l'ombre vaporeuse du sous-bois. Il y a de l'or en poudre, ce soir, sur Maisons. L'air sent l'automne. Emouvante odeur de l'humus en pleine fabrication...

Je suis légèrement dérouté (comme dirait Bombard) par la marche des événements. Et pourtant, tout à fait entre nous et la semaine dernière, je dois vous dire que je m'attendais à ce que la petite nurse se manifestât. Pas si rapidement néanmoins, et c'est ce qui cause mon trouble...

Je m'avance à sa rencontre dans l'allée qui fut

cavalière en un temps où l'avoine était le carburant de base de la circulation. La petite Estella radine déjà. Elle a jeté un manteau sur ses épaules... C'est un truc en drap, avec un col de fourrure, très chic, très élégant. Elle, c'est le contraire de la môme Hortense de tout à l'heure. On vanne à la trimbaler dans le monde. Les autres bonshommes ouvrent des vasistas grands commak en vous voyant passer avec une chose pareille autour du bras.

— Vous étiez seule à la maison ? demandé-je, comme nous nous atteignons.

— Oui, fait-elle, pourquoi ?

— Il me semble que vous avez oublié d'éteindre la lumière, non ? Ça brille entre les arbres, voyez...

Elle hausse les épaules.

— C'est pour quand je rentrerai. J'ai horreur d'arriver dans une maison obscure... Ça fait triste...

Je n'insiste pas et la guide jusqu'à ma charrette. Il y prend place.

Lorsque je suis au volant, elle murmure :

— Elle est à vous, cette voiture ?

— Bien sûr...

— Dites, vous avez une bonne place chez le vieux bonhomme de l'agence ?

— Pas mauvaise... Mais l'auto est un héritage qui me vient de mes arrière-grands-parents...

Elle a la politesse de rire à cette saillie.

Puis, vite sérieuse, elle remarque :

— On n'imaginerait pas que vous avez comme patron un type minable comme ça.

— Il ne faut pas se fier aux apparences, chère Estella.

— En effet. Son office fait petite affaire de province en plein déclin...

Je m'empresse de dorer le blason du père Houquetupioge.

— Détrompez-vous. Le boss est un vieux célibataire à marottes, mais son truc gaze à bloc. Il gère quatre-vingts pour cent des propriétés de Maisons-Laffitte... Grosse fortune.

C'est classe pour le sujet, mais je sens que ça continue de bouillonner sous le charmant couvercle de la belle enfant

Je me demande si elle n'a pas été inquiétée par ma venue dans son château et si elle n'a pas accepté cette virée pour me tirer les vers du naze. Elle est logique, étrangement calme, cette souris. Quand une situation lui paraît trouble, elle ne doit pas avoir de cesse avant de l'avoir clarifiée.

— Il y a longtemps que vous avez quitté la Suisse ?

— Quelques années, oui...

— Et vous êtes allée aux States, comme ça ?

— J'étais hôtesse de l'air... L'Amérique m'a

plu. Là-bas les gens de maison sont très bien payés, j'ai compris qu'en me plaçant comme nurse je gagnerais trois fois plus d'argent qu'en conseillant à des gens d'attacher leur ceinture pour le décollage.

— Parce que vous aimez l'argent ?

— Pas vous ?

— J'y pense en sourdine. D'après ma philosophie, l'essentiel c'est pas d'en avoir beaucoup, mais c'est d'en avoir assez, vous comprenez.

Nous atteignons Pantruche. Je fonce depuis la Défense en direction de l'Étoile qui nous attend, là-haut, dans une apothéose de lumière...

— Qu'aimeriez-vous faire ? j'interroge en levant le pied de sur le champignon.

Je ne puis m'empêcher de me marrer bassement en évoquant la femme du sous-brigadier que j'ai larguée honteusement dans une attitude peu en rapport avec les hautes fonctions de son colleur de papillons.

— Ce que vous voudrez...

— Que diriez-vous d'un spectacle ? Ensuite souper... Je connais une boîte très bien où l'on déguste des fruits de mer qui raviraient Neptune.

— Comme vous voudrez...

Nous allons au music-hall. A l'Olympia y a justement les frères Karamazov qui chantent leurs deux grands succès : « En revenant du Col de la Faucille » et « J'en suis marteau », accompagnés par leurs gardes du corps.

Soirée exquise bien que nous nous trouvions assis sous la photo de Suzy Solidor. Le spectacle est d'une haute tenue artistique. On applaudit d'abord un jongleur qui chante, puis un chanteur qui jongle ; ensuite un dresseur de microbes (il a un tube d'Aspirine en guise de fouet) et, en fin de première partie Mô-Sade, la célèbre vedette érotico-afrodisiaco-asiatique, celle qui déclame en braille pour ne réveiller personne.

Estella est ravie par sa soirée. Moi je suis ravi par Estella, ce qui est de bonne politesse. Si je ne me retenais pas, je lui ferais un doigt de rentre-dedans, mais je préfère ne dévoiler mes batteries que lorsque nous serons en bordée. Si après ça vous estimez que je n'ai pas le sens de l'humour, c'est que vous avez appris à rire dans une crypte en vous faisant jouer du Haendel.

Le spectacle achevé, j'entraîne ma ravissante conquête helvéto-maisons-laffitteuse au « Troufignard Breton », établissement en vogue où, comme je l'ai annoncé, à l'extérieur, les trains de marées déchargent ce qu'ils ont de mieux dans le fourgon de queue.

Dîner aux chandelles sous des filets de pêcheur et des boules de verre conventionnels.

Nous parlons de la pluie et du Bottin.

— Mrs Loveme, demandé-je, soudain, sur un

ton tellement innocent qu'on me donnerait le bon Dieu sans confession, Mrs Loveme vient souvent chercher son délicieux bambin ?

— Quelquefois, murmure la poupée... Elle pique une crise de tendresse maternelle. Sa voix du sang crie un peu trop haut.

— Et elle l'emmène à son hôtel au lieu de venir le dorloter à la maison ?

— Il faut bien que les femmes d'hommes célèbres aient des caprices pour rester dans le ton. S'il n'y avait pas de potins sur elles, elles sombreraient dans l'oubli...

— J'ai lu dans la presse qu'elle n'était pas descendue dans le même hôtel que son mari, est-ce vrai ?

— Ça l'est !

— Tiens, le ménage ne marche pas ?

Elle secoue la tête.

— Je crois que la psychologie américaine vous échappe, mon cher ami. Les Loveme constituent un couple très normal, mais Fred a des... heu... obligations vis-à-vis de ses admiratrices. Des obligations qu'il doit satisfaire hors de la présence de sa femme. En habitant deux hôtels différents l'honneur de Mrs Loveme est sauf... Mais je peux vous faire une confidence...

— Allez-y !

— Fred Loveme passe presque toutes ses nuits avec son épouse...

— Marrant !

Je commande des profiteroles comme dessert et je dis au loufiat de nous amener une boutanche de vin de Paille. Ma nurse me semble un peu partie. Elle a le regard brillant, la bouche humide et le rouge de ses joues ne doit rien au fond de teint...

Je crois que je peux démarrer mon attaque en éventail. Je lui titille le bout des doigts, sur la nappe.

— Estella, je susurre... Estella, qui m'aurait dit que nous passerions cette soirée ensemble...

— Oui, fait-elle, le hasard est grand, n'est-ce pas ? Si le propriétaire de la villa n'avait pas oublié ses bésicles..

A-t-elle mis de l'ironie dans cette phrase ? Je me le demande, en tout cas son visage n'exprime rien d'autre qu'un tendre enchantement.

Elle a les mains froides. C'est bon signe, ça. En général, les filles qui sont gelées des extrémités sont bouillantes du centre.

— Dites, ma douce Estella, il ne va pas dormir tranquille, Loveme, cette nuit, s'il va rejoindre sa dame...

— Pourquoi ?

— A cause de Jimmy... Ça m'a l'air d'un sacré braillard, ce mouflet. Son père ne va donc jamais le voir à Maisons-Laffitte ?

— Comment le pourrait-il, avec la vie qu'il mène ?

« Il tourne toute la journée, le soir il va dans les clubs et il dort le matin.

Je largue le sujet. Pas la peine d'envoyer le bouchon trop loin, après on s'accroche dans les herbes.

Ma montre proclame qu'il est deux heures dix minutes et de la petite monnaie d'éternité.

— Il faut que je rentre, murmure la donzelle.

Oh ! pardon... Vous me voyez marri au-delà de toute expression ! C'est moi qui allais lui faire une proposition de ce genre, sur un autre ton. Rentrer ! Elle charrie...

— Vous m'avez promis cette nuit, Estella, reproché-je langoureusement.

— Menteur ! gazouille la Suissesse. La soirée seulement.

— Les vraies soirées ne se terminent qu'au petit jour...

— Non ! Non ! dit-elle, ça n'est pas possible. Mrs Loveme va sûrement m'appeler avant la fin de la nuit pour me dire d'aller récupérer son enfant qui sera réveillé et l'empêchera de dormir...

— Alors, pourquoi iriez-vous à Maisons pour revenir à Paris ? Vous savez ce que vous allez faire, ma douce amie ? Vous allez téléphoner à Mrs Loveme pour lui dire que vous passez la nuit chez une amie et vous lui laisserez le numéro de l'endroit où nous serons.

Cette petite peau secoue la tête. Je l'encadrerais si je m'écoutais. Heureusement, il y a des cas où je sais me faire la sourde oreille.

— Non, Madame ne tolérerait pas cela. Elle n'admettrait pas que je découche tout à fait. Rentrons, je vous en prie.

Je me lève, plus furieux qu'un pompier qui trouverait sa maison brûlée en revenant d'éteindre un incendie.

Je me suis mis dans les grandes dépenses (pas moyen de les porter sur une note de frais, celles-là) pour zéro. Music-hall, restau-chic et tout ça pour avoir le droit de me farcir une troisième fois le trajet à Maisons ! Ah ! je vous jure ! Il y a de quoi se déguiser en tête de lard et s'exposer en vitrine.

J'aime pas les bêcheuses. Quand une nana accepte l'invitation d'un Jules, elle doit savoir, si elle est civilisée, de quelle manière s'achèvera la sortie.

Sinon, c'est que sa maman ne lui a jamais rien dit. Ou bien que le quidam baladeur ne lui dit rien non plus !

C'est vexant de ne pas être le genre d'une beauté de ce gabarit !

— Partons ! bougonné-je en écartant la table galamment.

Je suis du genre vieille France, que voulez-vous ! Stoïque dans l'épreuve. Le bitos à la main.

CHAPITRE XII

Je pédale sec jusqu'à la demeure des Veaupacuit. Je commence à connaître le chemin. En cours de route, nous ne proférons pas une parole, d'abord parce qu'il est tard et que Morphée commence à nous faire de l'œil, ensuite parce que je consacre, pour ma part, ce qui me reste de lucidité à réfléchir.

Je ne vois toujours pas le rapport pouvant exister entre l'escamotée Mrs Unthell et le célèbre Loveme Fred... Roi du patin roulé et du regard incandescent, sauf celui que peut constituer leur même nationalité. Toujours est-il que dans ma petite tête de poulet quelque chose se cristallise, et ce quelque chose n'est autre qu'une certitude. Parfaitement, mes petits produits Lustucru, j'ai la certitude que tout ne tourne pas rond chez les Loveme. Il m'est impossible d'établir pour l'instant un rapprochement entre ma constatation et la fugue de la vioque ricaine...

Faut laisser reposer pour que la décantation se produise. Ensuite vous reprenez la mixture, vous la passez avec un tamis très fin, et vous servez chaud avec un zeste de citron.

Je freine devant la grille rouillée, je respire l'automne, j'admire les feuilles d'or dans la brume argentée que les faisceaux de mes phares arrachent de l'obscurité... et puis je me retourne vers la môme Estella.

Elle cligne des paupières, la jolie. Elle a hâte de se carrer dans les toiles, et moi aussi d'ailleurs. Il arrive un moment où la fatigue parle toute seule et où l'homme le plus fougueux se sent du caoutchouc mousse dans les membres.

— Vous voici arrivée, belle demoiselle...

Elle sourit.

— Vous avez été un amour.

— Je sais, merci du renseignement.

— Fâché ?

— Au contraire...

La boutade me monte au nez. Ainsi Napoléon perçait-il sous Bonaparte. Elle devine le sarcasme.

— Je voudrais vous dire, commence-t-elle.

Je réprime un bâillement. Ah ! non... Elle ne va pas me déballer un discours pour solde de tous comptes ! Les parlotes, c'est bath en début de soirée, ça crée l'ambiance, mais en milieu de nuit ça vous fait l'effet de la fraise chez le dentiste.

— Je serais heureuse de vous revoir, affirme ce produit de la pacifique nation Helvète.

C'est le cas de le dire, elle cherche à me faire prendre l'Helvétie pour une lanterne, et même pour une lanterne rouge.

La revoir, pour une nouvelle virée et puis après : ceinture ! « Ne montez pas, chéri, y a pas de feu chez moi ! » Très peu, merci Madame la Baronne ! Parlez-moi plutôt des femmes de sous-brigadier. Ça se fout au boulot avant qu'on ait eu le temps de leur donner un coup de braguette magique pour les transformer en voiture à bras.

— Moi aussi, dis-je, sinistre comme un congrès d'huissiers, moi aussi, Estella, j'aurai beaucoup de joie à vous revoir.

Dans mon for intérieur, je conclus « à condition que ce soit dans une fosse septique et que vous y fussiez plongée jusqu'aux lèvres ».

Vous allez penser que je suis dans mes journées de misogynie (vous penserez cela à condition bien sûr que vous sachiez ce que ça signifie), mais je vous répondrai que l'expérience tue le romantisme. Plus on avance dans l'existence plus on s'aperçoit qu'il est dangereux de trop se faire mousser le pied de veau avec les femelles.

Brusquement, je perds conscience. Voilà la

môme qui me chloroforme à sa manière, c'est-à-dire en me cloquant un de ces baisers comme seul un homme-grenouille peut en supporter un après des mois d'entraînement intensif.

Je ne sais pas si c'est le beau Fred qui lui a donné des cours particuliers, mais je puis vous assurer qu'elle connaît le côté scientifique de la question. Quand on voit une bouche de femme, on s'imagine mal qu'elle soit capable d'un travail semblable.

J'en ai des étincelles dans le bulbe rachidien et ma moelle épinière se noue.

Rien de tel pour réveiller un bonhomme somnolent. C'en est trop, et pas assez ! Vous ai-je dit que les sièges avant de mon autobus sont réversibles ? C'est épatant pour le camping de nuit dans le bois de Boulogne. Vous appuyez sur un levier et le dossier donne l'exemple en se mettant à l'horizontale.

Estella n'a rien contre. Elle me prouve que je ne lui suis pas le moins du monde antipathique. Dans la nuit fumeuse de l'automne, la cloche des Veaupacuit tinte faiblement, agitée par la brise, dans son langage, je suppose que cela signifie : Premier Service !

***

Un petit quart d'heure plus tard, Estella

abaisse ce que j'avais relevé et relève ce que j'avais baissé de son harnachement. Elle me poinçonne d'un dernier baiser et ouvre le portail gémissant. Je la regarde se fondre dans la nuit.

Gentille aventure. Me voici rasséréné. Elle est du pays des glaciers, mais elle n'a de commun avec ceux-ci que la limpidité de son regard. Sur le plan académique, elle a des vallonnements beaucoup plus doux, façon Puy de Dôme !

Je mets mon moulin en marche. Au moment de déhoter, je m'aperçois que la lumière qui brillait dans la maison lorsque je suis venu chercher la gosse est éteinte !

Peut-être bien que l'ampoule s'est grillée toute seule. Même les piles Monder s'usent lorsqu'on s'en sert.

*
* *

Vous le dirai-je ? C'est avec une vive satisfaction que je regagne notre pavillon. Ma bonne Félicie doit mal pioncer, comme chaque fois que son fiston est dehors, courant la gueuse ou l'aventure... Je m'imagine déjà entre deux bons draps parfumés à la lavande des Alpes. Félicie en cloque des petits sachets dans les tiroirs de la commode, et chez nous, le linge a toujours la même odeur. Pour d'autres c'est l'odeur des

Alpes, mais pour mézigue c'est devenu celle de Félicie.

En stoppant devant la lourde du garage, je m'avise qu'il y a de la lumière à la maison. Ceci ne laisse pas que de m'inquiéter, il serait normal, à la rigueur, que la chambre de Môman fût éclairée, seulement c'est le rez-de-chaussée qui brille à Giono.

Pourvu que ma brave femme de mère ne soit pas malade ! J'ai toujours les jetons, plus ou moins, lorsque je rentre at home de la trouver mal en point. Je sais bien que le jour où elle s'en ira réclamer son auréole au magasin d'habillement du Bon Dieu, ce ne sera plus pareil pour moi. A ce moment-là je serai tout seulâbre dans le vaste univers, bien embarrassé par ma pauvre peau.

Je traverse notre jardin en songeant malgré tout que le moment est venu de planter les oignons de tulipes que ma brave vieille a fait venir de Hollande. Faudra que je me farcisse la séance de bêche demain. C'est mon côté Rustica. Si vous me voyiez, mesdèmes, quand je fais mon bêcheur, dans un vieux blue-jean, le torse moulé dans un pull à col montant, les nougats dans des sabots bretons ! Oui, si vous me voyiez, vous vous enfuiriez de vos salons Louis Chose pour venir sarcler la mauvaise herbe, à mes côtés...

J'entre en coup de vent dans la salle à manger-salon. Et qui vois-je, effondrés dans des fauteuils, somnolents et silencieux ? Maman, bien sûr, les mains croisées sur le ventre, le chignon un peu de guingois, et puis, à ses côtés, tels les larrons cernant notre Seigneur, Bérurier et le Coiffeur.

Le gros ressemble à un bloc de mauvais saindoux dégoulinant ; sa barbe profuse lui donne l'aspect d'un clodo.

Le coiffeur, lui, est par contre nippé avec recherches. Des recherches qui n'auraient pas très bien abouti d'ailleurs. Costar prince de Galles à trop grands carreaux, chemise bleue, cravate bordeaux-supérieur, chaussures de daim à boucles dorées...

Mon entrée les fait tous sursauter.

— Eh bien, eh bien ! m'écrié-je, assez Ruy Blas.

Le gros se met à sangloter. Le pommadin renifle...

Félicie réprime un sourire. Puis il se fait une minute de silence intégral. On entendrait marcher une araignée sur sa toile.

— La Grosse est cannée, ou quoi ? m'emporté-je.

— Non, mugit lamentablement Béru. Mais elle a encore disparu, San-A.

Les voilà qui recommencent avec leur circus.

Et ce à trois plombes du mat ! Voyez mouchoirs ! On se croirait à des obsèques affligeantes.

— Qu'est-ce que c'est encore que cette histoire ?

Le tailleur de crins bredouille :

— Il s'agit, hélas ! de la triste vérité, commissaire. Notre chère Berthe s'est volatilisée...

Image hardie s'il en fut. Vous la voyez se désintégrer, vous, la baleine à Béru ? Même à Cap Kennedy ils n'arriveraient pas à la faire disparaître...

— Elle est montée sur poudre d'escampette...

— Veux-tu prendre quelque chose de chaud ? coupe Félicie.

Je lui réponds que je viens à l'instant de prendre quelque chose de très chaud et, en aparté, je me susurre le doux prénom d'Estella. J'ajoute toutefois que j'opterais volontiers pour du frais. J'ai le clapoir en fond de cage à oiseaux et un coup de champ, à ces heures, n'a jamais fait de mal à un flic.

Les mots « Lanson Brut » tarissent instantanément le chagrin du Gros. Sa prunelle devient dorée comme un bouchon de champagne.

— Raconte, soupiré-je, prêt à tout.

— Eh bien, voilà...

Il délace son soulier droit, le quitte en s'aidant de l'autre pied. Sa chaussette trouée en son extrémité laisse passer une rangée d'orteils qui prouvent que le Gros appartient à la famille des ongulés. Et même des ongulés en deuil.

— Tu permets? murmure-t-il, j'ai mes cors qui travaillent.

— C'est pourtant pas l'exemple que tu leur donnes qui peut les inciter à...

— Déconne pas, Tonio... Je suis complètement ravagé par cette aventure...

Il se tait, ému par l'arrivée de la boutanche que Félicie amène, une vapeur légère à ses flancs suspendue.

— Quand tu voudras pour les explications, invité-je, à moins que tu préfères me l'écrire ?

— Quand on s'est quitté, au début de l'aprême, j'sais pas si t'as remarqué, mais Berthe était en renaud

— Ça se voyait comme ton nez rouge au milieu de ce qui te sert de figure...

— Comme elle avait pas de repas prêt et qu'elle voulait pas se mettre en cuistance à ces heures, on a été au restaurant ; tu sais, chez Lajoy, la rue après chez nous... Sa spécialité, c'est le coq au Chambertin.

La face illuminée par une rétrospective stomacale, il soupire :

— Il le sert avec des petits oignons blancs, des lardons et des croûtons frottés d'ail. L'ail, c'est primordial dans le coq au Chambertin. La plupart des cuistots n'en mettent pas, comme quoi ça tue l'oignon... Je rigole... (Effectivement, il émet une clameur que vous pourriez percevoir de chez vous en tendant l'oreille.) Je rigole parce que l'ail, c'est comme qui dirait la femme de l'oignon...

— Non ! tranché-je, les ails sont gousses !

Ce pauvre calembour le ramène aux réalités.

— Bon, passons, dit-il à regret...

— C'est ça, passe sur le menu, maman a déjà un livre de cuisine préfacé par Curnonsky.

— Donc, nous allons z'au restaurant. Et voilà qu'au dessert, ma Berthe se met à rouscailler...

— Pourquoi, y avait de la moutarde dans la crème Chantilly ?

— Non... Mais notre matinée lui revient dans le caberlot. Elle se met à dire qu'on est, toi et moi, deux incapables. Qu'à notre époque, c'est pas croyable que les honnêtes femmes se fassent enlever plusieurs jours et que des salauds de flics se roulent les pouces au lieu de faire la chasse à leurs ravisseurs...

Il se tait.

— C'est ça, Gros, reprends ta respiration. Tu ferais un mauvais verrier.

— Faut toujours que tu rigoles, même dans les cas graves.

J'emplis les flûtes et nous nous employons à les vider.

— A la santé de Berthe ! fais-je.

Le coiffeur chiale dans son Lanson millésimé. Le Gros avale son godet comme il le ferait d'un petit muscadet pris sur le rade.

— Elle était tellement furibarde qu'elle est partie, dit-il. Elle s'excitait en causant, tu la connais ? Boum, la voilà qui se taille avant que j'aie payé. Si je te disais qu'elle a pas même pris le temps de finir ses framboises melba. Y a fallu que je liquide moi-même son assiette.

— Et alors ?

— Au début, je m'en suis pas trop fait. Je m'ai dit qu'elle était allée chialer un coup dans le giron de mon ami Alfred ici présent...

Alfred enchaîne :

— Et je ne l'ai pas vue !

— Tu juges ? lamente Bérurier. Il l'a pas vue. Moi je passe la journée à traînasser dans le quartier, chez Pierre, chez Paul. Sur le soir je rentre à la maison : personne. J'attends : re-personne ! A dix heures, le foutre me prend et je vais réveiller mon ami Alfred ici présent...

— Je ne l'avais toujours pas vue ! affirme le masseur de cuir chevelu.

— T'entends ! larmoie le Mahousse. Il l'avait pas vue... On a fait la navette de chez lui à chez moi jusqu'à minuit. Pas de Berthe !

— M... !

Là, c'est moi. Pas pour la rime, elle serait

mauvaise ; mais parce qu'il me vient soudain une inquiétude. Une vraie...

— M'man, fais-je, dans la pharmacie il doit y avoir du Maxiton, ça t'ennuierait de nous en refiler une bonne dose à tous les trois ? Je crois qu'on ne se couchera pas de la nuit !

Le visage de ma brave Félicie devient gris d'inquiétude. Je lui presse la main par-dessus la table.

— T'inquiète pas, j'en écraserai demain... Tu sais comme j'aime roupiller dans la journée, tandis que tu fais ton ménage ? Dans mon subconscient je suis tes allées et venues... T'as beau marcher sur la pointe des pieds et soulever les portes par leur loquet pour pas qu'elles grincent, m'man, je t'entends... Et ça charme mon sommeil.

CHAPITRE XIII

— Où qu'on va à c't'allure-là ! lamente le preux Béru, celui qui confirme l'adage suivant lequel l'homme serait un roseau pensant. Béru n'a rien du roseau, vu qu'il donne plutôt dans le genre baobab géant mais il pense beaucoup ; surtout à la boustifaille.

— On retourne à Maisons, fais-je brièvement, avec ce sens du raccourci qui m'a valu des propositions intéressantes du ministre des Télégraphes.

— Encore ! bavoche le Gros...

— Espère un peu, Gras Double, pour ma part ça fait la quatrième fois que je m'y rends. Si la fliquerie moule, j'aurai toujours la ressource de m'engager à la R.A.T.P. pour assurer le service de car les jours où y aura courses.

— Et pourquoi que tu y retournes ?

— Si tu n'avais pas un seau de mélasse à la place du cerveau, tu te dirais que ta bergère soutenait mordicus qu'elle reconnaissait la baraque... Tu dis qu'elle était vexée que nous écrasions le coup et qu'elle nous a traités d'incapables... Comme c'est une jeune fille qui n'a pas froid aux carreaux, je me dis, avec ma toute petite tronche de flic génial, qu'elle a eu envie de retourner à Maisons pour examiner les environs de plus près et, peut-être, surveiller la cahute de l'avenue Marivaux...

Le coiffeur pleurniche :

— C'est tout Berthe ! Courageuse, décidée, n'obéissant qu'à ses plus nobles impulsions...

— D'accord, fais-je, on lui filera une médaille avec un ruban long comme la traîne d'un cardinal, mais pour l'amour du ciel, mon vieux, laissez-nous penser tranquilles.

Vexé, le traqueur de poux s'accagnarde à l'arrière de mon véhicule à pétrole et ne pipe mot.

Le Gros, qui ne craint personne, pour ce qui est de la déduction, suggère :

— Donc, le Loveme de mes deux serait dans le coup ?

— Il se pourrait que, en effet...

— L'ordure ! Toute vedette qu'il est, tu vas voir ce que je vais y coller comme chicorne à ce marchand de langueur ! Quand je me serai soulagé sur lui, tu peux compter que la Métro-golvinge fera des confetti avec son contrat !

Toutes les connardes qui ont le coup de chaleur devant sa photo croiront que c'est Frankenstein !

— Fais pas du texte, le calmé-je. Avant de casser la cabane, il faut savoir où nous allons. Tout le monde peut se tromper, comme dirait le hérisson qui descendait de sur une brosse à habit.

— Enfin quoi, c'est pas catholique, cette taule ! Si Berthe a dit qu'elle était certaine du coin, c'est qu'elle en était certaine. Cette petite, elle est la logique faite femme ; tu peux demander à Alfred.

— Je ne dis plus rien, crachote le faucheur de barbe, pincé comme un binocle...

— Fais pas la gueule, Alfred, recommande Béru. San-Antonio a le parler vif, mais c'est le bon mec. Le cœur sur la pogne. La preuve, il aurait pu nous envoyer sur les roses t't'à l'heure et s'aller zoner. Au lieu de quoi, mords : il se décarcasse pour nous dénicher « notre » Berthe !

Alfred, homme équitable, pour qui la Justice n'est pas un vain mot, se range sous la banniere flamboyante de la logique.

Je ne tarde pas à pénétrer dans le parc. Des oiseaux nocturnes glapissent « Cette nuit est à nous » dans les branchages.

Je stoppe ma charrette à quelques encablures de la demeure des Veaupacuit. Le quartier est silencieux. Pas une lumière ne brille, sauf dans les allées brumeuses qui ressemblent à des avenues de rêve conduisant au purgatoire.

— Alors ? balbutie le Gros. Tu vois ça comment, mon Tonio ?

Si ça continue, il va m'adopter, Béru... Sans sa gravosse il est naze... Toute sa ferveur monte vers moi comme un encens.

— Je vois ça, comme tu dis, de la façon suivante : tu vas te présenter à la maison de l'avenue Marivaux avec Alfred, officiellement. Vous êtes deux poulets. Tu montres tes fafs s'ils sont encore lisibles, ce qui m'étonnerait vu que le dernier bac à friture est plus propre que tes poches. La nurse va chiquer à la surprise... Tu diras que vous êtes chargés de la protection de Fred Loveme et des siens. Un indic vous a mis au parfum d'un cambriolage qui se mijoterait et dont notre big vedette internationale serait la victime en puissance...

— Pourquoi en puissance ? s'inquiète le Gros qui ne dispose que d'un vocabulaire de marchand de moules.

— Alfred t'expliquera... Vous tiendrez la jambe à la môme un bout de temps. Par exemple vous lui demanderez si le système de fermeture des lourdes est ad hoc ; enfin, bref, vous ferez du texte...

— Qu'est-ce qu'elle va dire, cette greluse ? demande le véné-Béru.

— Eh bien, de deux choses l'une : ou elle est mouillée dans le coup et elle fera mine de marcher dans vos salades. Ou bien elle a la blancheur Persil et alors elle trouvera ça louche, comme dit un opticien que je connais. Peut-être renaudera-t-elle. Auquel cas ça n'a pas la moindre importance...

« Soyez assez réservés : Style : gravité, courtoisie, tu vois ?

— Comme si t'avais besoin de me fout' les points sur les « t ». Merde ! gronde Béru... Depuis le temps qu'on se connaît, bor... de D..., tu dois savoir que du côté des convenances je crains personne !

Comme il saisit la poignée de la portière, à ma grande inquiétude du reste, car tout ce que le Gros touche a tendance à se transformer en produits de poubelles, il demande :

— Et toi, San-A. ? Pourquoi que tu ne viens pas à la relance avec nous ?

— Tu sais bien que je me suis présenté sous un prétexte-bidon. Elle me prend pour le gérant de sa garderie.

— Je sais ; mais justement, pense à l'effet philojolique.

— Psychocolique, rectifie pertinemment

Alfred dont l'érudition est patronnée par la brillantine Jora.

J'appuie sur la patte de plantigrade du Gros, achevant ainsi d'ouvrir la porte. Puis je le pousse fermement hors de ma guinde.

— Écoute, bonhomme, tranché-je, moi je suis le cerveau et toi le membre. Et même un membre très inférieur. Alors te pose pas de problème, ça fait tomber tes pellicules.

En ronchonnant, il s'éloigne, escorté de son camarade de régiment (ne servent-ils pas dans le même corps ?).

Dès que la cloche fêlée des Veaupacuit tintinnabule dans le silence entier de la nature éteinte (quand on a des lettres il faut faire sa distribution, tous les facteurs vous le diront) je quitte à mon tour l'auto. Mais au lieu de m'en éloigner, je retire mes chaussures, je les attache par leurs lacets et me les colle sur l'épaule. Ensuite de quoi je grimpe sur le toit de mon véhicule. Un élan et je réussis à cramponner une branche de chêne qui dépasse le faîte de la grille. Je constitue un drôle de gland, soit dit en passant.

Cette branche opportune me permet de passer au-delà de la rébarbative clôture. Je me laisse tomber au pied de l'arbre et je remets mes pompes à mes nougats, ce qui, à vrai dire, est la façon la plus rationnelle de coltiner une paire de souliers.

Coupant à travers le parc, je contourne la maison. Sur le perron il y a de la lumière. Je vois sortir la môme Estella, dans une robe de chambre qui couperait le souffle à un asthmatique. Elle tient une torche électrique à la main et se dirige vers la grille. Vous reconnaîtrez avec moi, même si vous ne l'avez jamais vue, que cette bergère n'a pas de l'eau de Javel dans les veines. Parce qu'enfin, tout à fait entre nous et le pôle d'Émile Victor, elles sont pas nombreuses les pin-up capables de traverser un parc à quatre plombes du mat pour répondre à un coup de sonnette, alors que les chouettes du patelin ululent à qui mieux mieux.

Je me manie le prose de manière à entrer dans la maison sitôt que la fille est hors de vue.

Les pièces du bas, je les ai déjà inventoriées naguère. Pourtant j'y cloque un petit regard vite fait. Ensuite je m'élance vers les étages. Il est temps. Un bruit de conversation se rapproche à l'extérieur, marqué par le timbre oblitéré du Gros vendant ses salades d'hors saison.

Au first étage, les pièces sont également désertes... L'une est la chambre d'Estella. Une lumière rose y brille doucement. Je vois ses fringues sur un dossier de chaise, son dodo défait et je salue respectueusement ce panorama émouvant pour tout homme normalement constitué.

Ensuite je me farcis le deuxième étage. Les chambres d'ici sont vides également. De plus en plus, j'admire le cran de ma petite Suissesse. Pour être capable d'habiter seule cette immense bâtisse perdue, faut avoir des nerfs, et des chouettes qui aient été éprouvés au banc d'essais.

Ces investigations nocturnes sont aussi négatives que les diurnes et Maisons-Laffitte commence à me casser les claouis. Je redescends à pas de loup l'escadrin conduisant au premier. Maintenant, va falloir que je ressorte en tapis noir. Pour cela je dois attendre que la nurse raccompagne mes camarades d'expédition.

Dans une encoignure propitiatoire, embusqué contre une glace à trumeau dont la peinture représente une Fantasia marocaine et dont la glace constitue un water à mouches idéal, je prête l'oreille.

J'entends le Gros qui baratine en se donnant de l'importance et en cherchant des subjonctifs vicelards...

Il en ajoute, il en déverse, il en remet... Il explique qu'il n'est pas prudent à une jeune fille de vivre seule en ce lieu désert. Il demande si la maison recèle des valeurs importantes... Et je sens qu'il pense à sa Berthe comme à une valeur qui aurait attendu le nombre des années. Bref, c'est le grand Jeu. Estella a dû se sentir un peu décontenancée au début, mais la voilà qui reprend le dessus. Elle commence à trouver saumâtre cette visite de nuit. Et elle le dit véhémentement. Les Laurel et Hardy de l'amour battent en retraite. La souris les raccompagne en rouscaillant. Je décale le dernier étage. Il serait bon que je les misse pendant sa courte absence. Mais, réflexion faite, je préfère attendre encore un peu.

Bien m'en prend !

Voilà ma gosse Estella qui regagne sa base, ferme la porte à double tour, met le verrou, atteint le perron et reste un instant immobile, comme quelqu'un qui est dans l'expectative.

Votre San-Antonio se trouve maintenant à quatre pattes derrière une banquette Louis Machin. Estella gagne l'escalier, non pas dans une tombola, mais d'un pied décidé. Décidé en apparence only car elle stoppe, une pogne sur la rampe. Un instant je crains qu'elle n'ait décelé ma présence, les femmes ayant l'ouïe munie d'une tête chercheuse. Mais non. C'est seulement la voix de son âme qu'elle écoute...

Elle va au bigophone, décroche et compose un numéro. M'est avis que ça devient intéressant. J'ai eu raison de patienter...

Il se passe un bout de moment avant que le correspondant d'Estella décroche. Sans doute est-il dans les bras de l'orfèvre ? Enfin il se produit un déclic.

— Hôtel Carlton ? fait la nurse.

On lui confirme le fait.

— Je veux parler à Mrs Loveme !

On doit lui objecter que l'heure n'est pas propice à une conversation téléphonique. En effet, si on peut appeler quelqu'un à une plombe du mat à la rigueur, il est de mauvais goût de le relancer à quatre.

— C'est très grave ! tranche Estella d'un ton autoritaire.

Le zig qui épousera cette petite fera bien de ne pas oublier sa bonbonne de neurovitamine avant de l'emmener en voyage de noces.

— De la part de Miss Estella !

Subjugué, le ou la standardiste du Carlton fait fissa pour sonner la légitime du *most famous actor of the world.*

On met les deux gonzesses en ligne et voilà que ça jacte en amerlock à toute vibure, tant et si bien que je n'arrive pas à filer le train de la conversation.

Tout ce que je peux glaner, au vol, ce sont des mots. Je reconnais « police » puis « baby » et enfin « morning ». Avant que j'aie fini d'identifier ce dernier mot, Estella a raccroché.

Elle éteint le hall et grimpe finir cette nuit

tumultueuse dans son dodo pas encore refroidi. La veinarde !

J'attends un moment, puis, estimant qu'elle ne peut plus m'entendre, je sors de ma planque.

Le Mahousse et sa roue de secours doivent commencer à se faire vieux dans ma charrette-fantôme. Il est temps que j'aille les rejoindre...

Je délourde en souplesse. Lorsque je me mets à tutoyer les serrures, vous pouvez faire jouer du Brahms en solo de violon, et l'écouter sans crainte...

Je retrouve la chouette noye vaporeuse, irisée, dérapante et supra-terrestre. Le plus duraille c'est pour repasser out mais la branche de chêne est là pour un nouveau coup.

J'atterris près de l'auto. Un filet de fumée s'échappe par les vitres baissées. Le Gros et son aide de camp fument pour essayer de se tenir éveillés.

— D'où que tu viens ? s'informe Béru.

— Perquise en douce.

Le Gros se tourne vers Alfred.

— Qu'est-ce que je te causais ? Je connais les manières de mon San-Antonio.

Il murmure :

— T'as du neuf ?

— Balpeau !

— Eh bien, moi, si !

Il me tend un peigne en écaille dont une dent est cassée.

— Tiens, en remontant l'allée avec la môme j'ai marché là-dessus. Alors je l'ai ramassé.

— Qué zaco ?

— Le peigne à ma Berthe !

Je contemple l'objet. Il se composait initialement de trois dents. La barre supérieure comporte une petite étoile en brillants.

— T'es certain ?

— Et comment !

— Moi aussi, dit précipitamment Alfred, vous pensez, ce peigne sort de chez moi.

— En tout cas, si votre Gravosse est venue ici elle n'y est plus, assuré-je.

Béru se met à chialer.

— On me l'a peut-être tuée et enterrée dans le parc, suffoque-t-il, tu ne crois pas qu'on devrait faire des fouilles ?

— C'est pas le moment...

Je jette un dernier regard au peigne.

— Ce n'est qu'un tout petit indice. Il doit y en avoir pas mal, des peignes comme celui-là...

— Avec cette étoile ! proteste Alfred. Ça m'étonnerait, c'est un modèle exclusif de chez Chignon-Brossard. Je suis le seul dépositaire du quartier.

Je soupire. En moi il y a du flottement. Je suis

las à crever. Je donnerais n'importe quoi pour pouvoir m'étendre quelques heures.

— Écoutez, mes bons messieurs, murmuré-je. Voyons la réalité en face : si Berthe est enterrée nous ne pouvons plus rien pour elle et demain, lui, n'est pas mort...

Philosophie nuancée, j'en conviens, mais qui apporte sa semence de fatalisme dans le cœur meurtri de mes deux abrutis.

— On va aller ronfler deux plombes chez moi, proposé-je. Ensuite on avisera. On ne fait rien de bon quand on tombe en brioche.

CHAPITRE XIV

Je me réveille, because la sonnerie à trois périodes de mon Jazz, avec la langue tellement collée au plafond qu'il faudrait un ciseau à froid pour l'en détacher.

Sur ces entre-choses, ma Félicie, déjà sur le pied de guerre, entre, portant un plateau. Elle y a mis ce qu'il faut à un homme couché à cinq heures pour se réveiller à sept, c'est-à-dire une tasse de café fort, et un cocktail Félicie.

Le cocktail Félicie se compose : d'un demi-verre d'eau tiède, d'un jus de citron et d'une cuillerée à soupe de bicarbonate.

Vous avalez cul-sec, ensuite vous torchez votre tasse de moka et vous attendez dix minutes... Un bien-être ineffable vous envahit de même qu'un besoin d'agir impétueux.

— Tu es sûr qu'il te faut déjà partir ? soupire môman.

— Hélas, grogné-je. Entre nous soit dit, je

suis très inquiet au sujet de la mère Béru. Elle s'est fourrée dans un drôle de guêpier, cette pauvre vamp...

— Vraiment !

— Et ses camarades de plumard, tu les as réveillés ?

— Je n'en ai pas eu le courage, soupire Félicie.

Elle lève un doigt pour m'inciter au silence intégral.

— Écoute !

Je n'ai pas besoin de tendre l'oreille.

— La radio donne une rétrospective sur les vingt-quatre heures du Mans, m'man ?

— Oh ! non, soupire la chère femme. Je me garderais bien de la mettre.

— Après tout, dis-je, tu as raison... Laisse-les donc pioncer. Tels qu'ils sont partis, ils en ont jusqu'à midi à faire leur rodage de soupapes.

Je saute du lit et m'offre une douche très froide. Ça finit de me reconstituer. Je me lotionne avec les produits de chez Balanciaga et, l'homme devant se protéger des intempéries et de la salacité des dames, je mets un costar sport en tweed anglais importé de Suède par un bateau hollandais.

— Tu rentres pour déjeuner ? espère Félicie.

— Je n'ose pas te le promettre, m'man. Mais je te filerai un coup de grelot.

Elle m'accompagne jusqu'à la voiture dans le jardin hérissé de trognons de choux et de roses en plein strip-tease.

— Tu ne sais pas si tes amis aiment le petit salé ? J'avais envie d'en faire pour midi...

— Ils en raffolent, affirmé-je. Le Gros surtout. Mais pleure pas la quantité, il te jurera qu'il a un appétit d'oiseau en oubliant de préciser qu'il s'agit d'un oiseau de proie.

Félicie hoche la tête, comblée. Son rêve c'est de nourrir l'humanité. Ça commence par moi et ça s'arrête aux fourmis à l'intention desquelles elle dépose des pincées de sucre en poudre sur le rebord de la croisée.

— Prends garde à toi, mon grand !

— T'inquiète pas, m'man. D'ailleurs je vais voir une dame.

Son expression signifie « A plus forte raison ».

Je fonce dans le brouillard qui recouvre Pantruche de sa ouate grisâtre.

Le bois de Boulogne est jonché de feuilles rousses, recroquevillées, qui galopent dans les allées goudronnées. J'aime l'automne, je crois vous l'avoir précisé, bien que vous vous en foutiez comme de votre première dent creuse. Dans ce renoncement de la nature éteinte (si vous trouvez que j'en remets trop, prenez de l'Aspirine) on pense avec plus de facilité. Fréquemment, j'ai eu maintes fois l'occasion de le constater, la sécrétion des idées est fonction du temps.

Tout en roulant à 60 kilomètre-heure comme le prescrivent les panneaux, dans le bois cher aux poètes et aux sadiques (ceci n'empêche pas cela, bien au contraire) je me dis mélancoliquement que le Gros m'a embarqué dans une sale histoire... Vous avouerez que je n'ai pas de chance. Je m'arrange pour prendre huit jours de vacances, histoire de me retremper un brin, et au lieu de faire du farniente en professionnel de la flemme, v'là que je passe des nuits blanches à cavaler après cette affreuse mère Bérurier !

Au bord de l'allée, il y a une tapineuse matinale, chaussée de bottillons et emmitouflée dans un vison de clapier véritable qui me sourit comme si je lui apportais un remède contre les engelures. Je parcours dix mètres encore et je stoppe. Je viens d'avoir une idée si lumineuse que de l'extérieur on doit la prendre pour une aurore boréale.

Croyez-moi, mes potes, pour la bonne gamberge, rien ne vaut le matin. C'est dans les aubes triomphantes que les cellules grises carburent le mieux. Essayer c'est l'adopter...

— Tu m'emmènes, Chouchou ?

C'est la radeuse qui annonce sa bouille peinte par l'encadrement de la portière. Elle s'est méprise, me voyant stopper à proximité, elle en a déduit que j'étais un matineux du calbar et elle me propose de l'extase.

Je la détrompe. Elle m'affirme alors, avec un ton de persuasion qui m'ébranle, que je suis un individu physiologiquement incomplet et me conseille fortement de réclamer à d'autres (et tout particulièrement à des Grecs) les attributs me faisant défaut. Ce, précise-t-elle, à titre temporaire car, selon son estimation, purement intuitive, ma vraie destination résiderait dans une basse gastronomie de laquelle pourrait découler une sorte d'auto-alimentation parfaitement économique au demeurant. Elle ajoute, encouragée par mon mutisme, que mon faciès est une extériorisation manifeste de mes instincts et qu'il suffit de me regarder une fois pour comprendre que je suis capable de ne m'intéresser à l'amour qu'à travers un trou de serrure.

Elle continuerait de badiner longtemps encore, si un providentiel automobiliste n'avait la bonne idée de stopper devant ma tire et de demander à cette dame si elle consentait à une promenade en 2 CV (véhicule du modeste quidam).

Prolétarienne en diable, la bottillonnée accepte et je l'entends demander au deux-chevauiste si cette promenade en deux cylindres opposés à plat de 425 cm³ à culasses hémisphériques (et pourtant elle tourne, merci) va se terminer à l'hôtel... Le conducteur répond par la négative. Il ne veut pas se laisser emballer. Inutile de l'empaqueter, c'est pour manger tout de suite. Encore un homme marié qui commence sa journée par quoi il aurait dû achever celle de la veille.

La vie, quoi ! C'est pas toutes les fois qu'un monsieur aimant les harengs marinés trouve une dame qui les adore et qu'une dame raffolant de M. Guétary convole avec un monsieur possédant tous ses disques ! Ce qu'il y a de plus duraille à réaliser ici-bas, c'est l'harmonie.

Vous allez trouver naturellement que je digresse et que j'abuse de vos précieux instants, mais comme le disait une petite lycéenne de mes relations : « Il est bon, parfois, de faire toucher du doigt les failles de l'existence ».

En attendant, tandis que m'invitait, puis que m'invectivait la péripatéticienne (quelle métrite dans le style, croyez-vous !) ma fameuse idée s'est précisée. Et vous savez ce que je fais ? Au lieu d'aller voir Mme Loveme au Carlton, ainsi que j'en avais primitivement l'intention, je vire à gauche et reprends la route de Maisons. Ne vous marrez pas. C'est mon Boléro de Ravel à moi...

Il est huit plombes. Estella est déjà levée, à en juger par la rapidité avec laquelle elle répond à mon coup de sonnaga.

Robe de chambre bleu nuit, carré de soie sur la tête. Elle fronce les sourcils en m'apercevant.

— Vous ! dit-elle, comme les pièces de l'Odéon d'avant-guerre.

— Moi, réponds-je, comme dans les mêmes pièces du même Odéon.

Elle délourde.

— Je ne vous dérange pas ?

— Heu... non, mais je suis très pressée car je dois aller chercher Jimmy... Mme Loveme vient de m'appeler au téléphone. Il est réveillé et...

Je lui masse la hanche négligemment.

— Le temps me durait de toi, Estella. Tu sais que tu m'as court-circuité !

— Chéri, dit-elle brièvement comme une vieille épouse songeant à autre chose.

Elle ajoute.

— Quelle nuit ! Tu ne devineras jamais ce qui s'est passé ?

— C'est grave ?

— La police est venue à quatre heures du matin. Deux flics !

— Non ?

— Si. Ils m'ont raconté je ne sais quelle ridicule histoire de cambriolage, qu'ils voulaient prévenir. Un moment, j'ai cru qu'il s'agissait de deux gangsters au contraire... Mais ils avaient l'air tellement idiots que le doute n'était guère permis.

J'en prends plein ma fouille, je colle mon mouchoir par-dessus et je garde un visage rayonnant de tendresse.

— Un cambriolage ?

— Un indicateur les aurait prévenus qu'un mauvais coup se préparait ici.

— Ma pauvre chérie, comme tu as dû avoir peur.

— Je n'ai jamais peur, affirme Estella, de rien ni de personne.

Nous voilà dans la strasse. Je lui roule une galoche pour rester conforme à la tradition.

— Veux-tu que j'aille avec toi chercher le petit ? demandé-je à mon égérie.

— Oh ! non, qu'elle répond. Il se peut que ma patronne revienne avec moi. Ce n'est pas possible.

Et, sournoise, de questionner :

— Tu ne travailles donc pas ce matin, chéri ?

— Tu sais, j'ai beaucoup de liberté. C'est pratiquement moi qui dirige l'Agence.

Elle semble pressée. Sans nulle gêne elle se désape devant moi pour se linger en élégante Parisienne. Tailleur beige avec des garnitures en cuir. Une merveille !

Elle se coiffe.

— Je me demande comment tu peux t'habituer à vivre seule avec ce fichu marmot, dis-je.

— Oh ! ce n'est que provisoire. Et puis, il y a la femme de ménage.

— C'est le vieux Houquetupioge qui vous l'a procurée ?

— Oui... Tu ne le savais pas ?

J'écrase vite.

— Pff... Je ne me rappelais pas ce détail ; je te vois ce soir, beauté ?

— J'essaierai. Si je peux me rendre libre, je te téléphonerai à ton bureau.

— Entendu.

La voilà qui s'installe au volant de la Chevrolet décapotable.

— Je t'emmène jusqu'à la grille, dit-elle.

— O.K.

Elle me dépose à la sortie, subit un nouveau massage d'amygdales et me dit à bientôt.

Moi je prends la direction de l'Office de location. Houquetupioge fils végète déjà dans le halo décomposé de sa lampe de burlingue.

Comme c'est le matin, il porte une veste d'intérieur en pilou gris avec un revers écossais et un cache-nez qui cache imparfaitement sa barbe de la veille.

— Bonjour, me dit-il aimablement. Déjà au travail ?

Au-dessus de sa coquille plate la bataille de Marignan continue de faire rage dans son cadre doré.

Le strabisme extra-divergent qui amène Houquetupioge à contempler simultanément ce qui lui fait face et ce qui lui fait pile n'a jamais été aussi fort. Notez que grâce à cette malfaçon il est paré, le marchand de gazon. Impossible de l'attaquer par surprise.

— Il paraît que vous avez procuré une femme de ménage à la nurse des Loveme lors de son installation à Maisons ?

— C'est exact.

— J'aimerais l'adresse de cette personne.

— Facile... C'est une Italienne. Madame Couchetapiana. Elle habite rue Basse.

— Ça se trouve où ?

— En bas de la rue Haute. Numéro... Attendez...

Il feuillette un cahier moyenâgeux couvert de moleskine.

— Numéro 13, fait-il.

— Toujours quarante de fièvre, murmuré-je, évoquant l'Hirondelle du faubourg. Je vous remercie. Toujours même consigne, cher M. Houquetupioge. En cas d'appel téléphonique, alertez-moi !

Je presse le débris humain qui lui sert de main et je me trisse en direction de la rue Basse.

Comme je débouche dans cette voie étroite, à sens unique, j'aperçois, à l'autre extrémité, la calèche chromée de mon Estella.

Je ralentis pour lui donner du champ et, au lieu de m'arrêter devant le fatidique numéro 13, je me mets à filer la Chevrolet noire de très loin.

Cette cérémonie est de courte durée. Contrairement à ce qu'avait prétendu ma beauté zurichoise, elle ne va pas à Paris, mais retourne à la maison de l'avenue Marivaux. Peut-être est-elle allée passer des consignes à la signora Couchetapiana et s'est-elle aperçue, en sortant de chez icelle, qu'elle avait oublié quelque chose ?

Mais non. Elle descend de voiture, ouvre la grille, rentre le bolide, referme la grille.

Que fait alors le petit San-Antonio de ces dames ? Vous le devinez, il retourne dare-dare chez la femme de ménage. La personne en question crèche dans un coquet appartement d'une pièce avec : son mari, son vieil oncle infirme, ses beaux-parents, sa nièce idiote, ses sept enfants et la tantina de Burgos. C'est une matrone surabondante moustachue comme la mère Béru, mamelleuse, ventrue et dotée d'un accent dont le moins qu'on puisse en dire est qu'il n'évoque pas les steppes de la Sibérie.

— Qué c'est ? me demande-t-elle, l'œil méfiant.

Je prends ma mine la plus consternée, style croque-mort déprimé.

— Madame Couchetapiana ?

— Si !

— Madame, je viens vous annoncer un grand malheur...

Toute la famille est là qui me regarde. Le mari, veilleur de jour dans un cabaret de nuit, s'apprêtait à filer au turbin, la musette en bandoulière. L'oncle infirme ouvre la bouche ; les beaux-parents la ferment sur leur cuillère de soupe, la nièce idiote éclate de rire et les six gosses qui faisaient la queue devant le pot de chambre fêlé sur lequel règne le septième, en laissent tomber leur culotte.

— Qué malheur ? soupire l'énorme créature.

— Il est arrivé un accident au petit, chez Loveme...

Je n'aime guère ces procédés, je vous l'avoue, mais j'ai besoin d'aller vite en besogne et d'éviter les blablas superflus.

Une clameur monte de la pièce surpeuplée. Tous ceux qui comprennent le français éclatent en sanglots. La mère Couchetapiana se tord les jambons.

— Mon Giuseppe ! Mon Giuseppe ! hurle-t-elle. Dita-me... Il n'esté pas morte ?

— Non, seulement une grosse bobosse à son fronfront.

Elle se calme. Le mari se met à lui jaspiner du bien senti dans la langue de d'Annunzio.

Je mets fin à l'exercice d'alerte.

Ma carte professionnelle est un frein très puissant en l'occurrence.

— Qué c'est ? répète la dame à mamelles.

— Policia !

Voilà le veilleur de jour qui se fait volubile.

Il parle, il gesticule, il postillonne, croyant faire diligence. Il engueule sa femme ! Il prend les autres à témoins et moi à partie. Il invoque le bon Dieu... Je suis obligé de rouscailler plus fort que lui pour ramener le calme. Bref, on finit par se mettre à jour. Mais, parole, c'est pas de la sucrette.

Je vous passe les exclamations, les conjonctions et les invocations. En bref, et à moins d'avoir la matière grise branchée sur l'alternatif, vous avez compris de quoi il retourne.

Hier, à l'hôtel où j'avais conduit la femme du sous-brigadier, je me suis aperçu en regardant la photo des Loveme publiée dans *Ciné-Alcôve* que le bébé brandi si triomphalement par le beau Fred n'était pas du tout celui que j'avais aperçu dans le berceau gardé par la môme Estella.

Et mon petit doigt bossant à fond, je viens de constater que c'est celui de la grosse madame Couchetapiana que la nurse dorlote.

Elle l'avoue sans difficulté. Je mets fin au calvaire de cette mère transalpine en lui avouant que je l'ai bluffée et que son petit dernier se porte comme père et mère. Du coup son désespoir se mue en rage. Elle cramponne une bouteille et me la dépêcherait en port payé sur la calotte glacière si son producteur de petits Couchetapiana n'intervenait opportunément.

Un billet de 10 francs judicieusement déposé sur la table calme la pauvre dame.

— Pourquoi avez-vous confié ce bambino aux Loveme ? demandé-je.

Elle tarde quelque peu à répondre. Je lui explique en quoi consistent très exactement les prérogatives du poulet. Elle comprend que je peux leur causer une foule d'ennuis assez longs à répertorier, et elle se met à table.

Voilà le digest de son récit :

— Il y a une huitaine de jours, elle gardait le petit Jimmy, avenue Marivaux, en l'absence d'Estella (laquelle, je le présume, était allée se faire faire la vitrine à Paname) lorsqu'une grosse vieille dame amerlock, se prétendant la grand-mère du petit, était venue chercher le bébé. Prenant ses allégations argent comptant, la femme de ménage avait poussé la crédulité jusqu'à emballer le mouflet dans son burnous. Au retour de la nurse, gros patacaisse ! L'Estella s'était affolée et avait prévenu Mrs Loveme... Un conciliabule avait eu lieu en anglais entre les deux femmes, c'est dire que la charmante Mme Couchetapiana n'y avait entravé que balpeau. A l'issue de cet entretien orageux, Mrs Loveme avait séché ses larmes avec un fin mouchoir de dentelle nylon renforcé soie sauvage et demandé à la femme de ménage de lui prêter son petit dernier pendant quelque temps, histoire de sauver les apparences pour le cas où des visites inopportunes se produiraient.

En effet, rien ne ressemble autant à un bébé qu'un autre bébé surtout si on les cloque dans le même berceau. Dix billets de cinq raides avaient emporté la décision. Cette proposition ahurissante n'était pas pour affoler la mère spaghetti puisqu'elle pouvait voir son chiare tous les jours et qu'en outre cela faisait un peu de place récupérée dans son étroit habitacle...

La veille, Estella lui avait ramené le lardon pour la nuit. Je suppose qu'elle avait été troublée par ma visite et que, voulant en apprendre davantage sur mon compte, elle avait préféré se débarbouiller du moujingue.

Je me tais pour prendre les mesures de la situation. C'est pas le moment de mettre les pieds à côté du fil de fer. J'ai oublié mon ombrelle, les mecs. Pour un funambule, c'est risqué, non ?

CHAPITRE XV

Rouler une cigarette dans une feuille de Job gommé déjà déchirée au départ constitue une performance qu'à ma connaissance seul le distingué Pinaud est capable de réaliser au jour d'aujourd'hui.

Je retiens mon souffle tandis que ses doigts tordus par les rhumatismes cherchent à emprisonner le tabac dans ce ténu papier en haillons. Les brins gros comme des copeaux pleuvent sur son sous-main.

— C'est de la troupe, explique-t-il à voix basse, il est plus grossier, donc plus difficile à rouler. C'est mon neveu Firmin qui me l'a rapporté d'Algérie... Lui il ne fume pas, rapport au sport... Il est ailier gauche dans l'équipe de fote-bâle de son régiment. Remarque, y a une chose que je ne m'explique pas... Un ailier gauche, après la mi-temps, il se trouve ailier droit, non ?

Sans attendre — ou en attendant — ma réponse, le vieux crabe extirpe de son clapoir une patte à évier. Il lèche consciencieusement la bordure collante de son papier comme il le ferait d'une enveloppe, l'ultime phase du numéro s'achève par un éventrement latéral de la cigarette si bien que lorsqu'il l'allume, Pinaud n'enflamme plus que sa moustache.

— T'as mené la petite enquête dont je t'ai chargé hier ?

— Bédame, soupire le Bonze.

— Et alors ?

Il prend son temps, en orateur expérimenté qui sait ménager ses effets.

— Te presse pas, lui conseillé-je, si ça t'arrange, je repasserai la semaine prochaine !

Il esquisse une grimace laconique.

— Une minute, balbutie l'inspecteur principal. J'ai ma gastro-entérite qui me travaille aujourd'hui.

Devant ce cas de force motrice et de lac Majeur (Béru dixit) je concède une minute de silence. Le Pinaud des Charentes masse la partie convexe de son individu.

— J'ai été au Consulat général des U.S.A. avec un intermède causant couramment l'américain, commence-t-il.

Je soupire. Avec le père Pinuche, il faut obligatoirement se farcir des préambules et autres textes liminaires, sans quoi il perd le fil de ses rapports.

— J'ai dressé une liste complète et détaillée de tous les ressortissants U.S. Assiens gérant une quelconque affaire soit de publicité, soit de...

Je mate ma tocante. Elle dit dix heures. Les Couchetapiana m'ont juré sur les mausolées de leurs aïeux de ne pas faire état de ma visite avenue Marivaux, mais j'aimerais conclure à l'arraché avant « qu'un mot de trop leur échappe ».

— Bref ? coupé-je.

Pinaud soulève le volet de son sous-main. Un fatras de papiers éclectiques (cela va de la recette du champion bouliste de l'année précédente) est amoncelé. Sans coup férir et pourquoi coup-férirait-il ? il cramponne une liste de noms. Tous sont biffés à l'exception de l'un d'eux.

— J'ai consulté dix-huit maisons, fait-il doctement. Échecs intégraux... Je commençais à me décourager lorsqu'au dix-neuvième...

Je lui chope le faf. Je lis le nom qu'il s'est abstenu de rayer. Ted Harrisson, rue Galilée, 118.

— Tu es brusque ! proteste Pinaud. Je parie que tu as le système nerveux déficient. Tiens, mon beau-frère, celui qui est chef de fabrication dans une manufacture de papiers hygiéniques, eh bien, il est comme toi. Toujours sur les dents, comme si ça pressait !

— Je me fous de ton beau-frère. Je l'essuie de ma vie avec son propre papier, bougre d'âne. Parle-moi plutôt d'Harrisson...

— Il a été effectivement contacté par Mme Unthell.

— A quel sujet ?

Le débris hoche la tête.

— Tu ne m'avais pas dit de demander...

— Espèce de vieille catastrophe prolongée ! trépigné-je. Ç'aurait pu me gagner du temps...

Je saute à la lourde.

— Tu vas installer une planque au Carlton, je veux un rapport détaillé sur les faits et gestes de Mme Loveme...

— La femme de...

— Oui. Prends du monde et soyez discrets.

J'ignore si les dératés font fissa, toujours est-il qu'ils ne peuvent pas me piler en ce moment.

***

Ted Harrisson est un grand garçon à lunettes dorées, avec une mâchoire de grumeur de chewing-gum et des taches de rousseur jusque sur sa cravate.

Il parle français avec un accent à la Constantine qui doit lui valoir la faveur des dames passionnées d'exotisme.

— Encore le police ! dit-il en souriant. Décidément je finirai par croire que mon conscience n'est pas quiet !

Moi, système Ney, vous me connaissez ? Droit au battant et épargnez la frime.

— Monsieur Harrisson, un de mes collaborateurs m'a dit que vous fûtes en rapport avec Mrs Unthell.

— Exact !

— Elle vous a contacté depuis les U.S.A. avant de venir en France, n'est-ce pas ?

— Absolument pas. J'ai eu son visite...

— Ah bon... Elle désirait louer un château, m'a-t-on dit ?

Il réussit à s'émouvoir. Son regard placide émet un message en morse.

— Ce n'est pas du tout...

— Alors ?

— Elle cherchait un pension pour son petit-fils. Un nursery-pension parce que l'enfant est très baby !

— I see, dis-je, retrouvant l'usage de mon anglais scolaire à la faveur de l'émotion. Et vous lui avez trouvé ce qu'elle demandait ?

— Naturellement !

— Donnez-moi l'adresse, je vous prie...

Il ouvre un tiroir, puis un classeur minuscule et me tend un rectangle de bristol.

« *Le Home des Anges* »
Lyons-la-Forêt

Mon cœur fait du zèle.

— Dites donc, vous vous êtes chargé vous-même de l'installation de l'enfant là-bas ?

— Non. Je ne suis que d'avoir trouvé l'adresse...

— Ce n'est pas vous qui êtes allé chercher Mrs Unthell à l'aéroport ?

— A l'aéroport ?

— Enfin, vous lisez les journaux, je pense ?

— Seulement les journaux américains...

— Bon, et vous n'êtes au courant de rien ?

— Pas du tout...

Je lui narre l'affaire grosso modo. Il n'en revient pas (Mrs Unthell non plus du reste).

— J'ignorais. No, ce n'est pas moi ni personne de mon service qu'il est allé chercher Mrs Unthell to Orly...

Mes progrès en américain étant rapides, je lui réponds O.K. et lui fais un shake-hand.

— Oh ! dites-moi, dear Mister Harrisson, quand Mrs Unthell vous a contacté, était-elle accompagnée de sa secrétaire ?

— Non.

— Thank you very much !

Cette fois c'est l'hallali. Je vous parie une paire de jumelles blanches contre les jumelles d'un père blanc que si je me manie le rond je vais avoir une position privilégiée d'ici la fin de la journée...

Je bombe vers Saint-Cloud. Félicie vient de mettre à courbouillonner les morceaux de cochon du petit salé...

— Éteins le gaz et enfile ton manteau, lui dis-je précipitamment, je t'emmène faire un petit voyage éclair.

Pauvre chère femme. Elle en est baba.

— A ces heures ! Mais, Antoine, il est presque onze heures...

— Nous n'en avons que pour deux heures aller-retour, j'ai besoin de toi.

— Mais... Et tes amis ?...

— Ils dorment et il faudrait une bombe H pour les réveiller...

— Et mon déjeuner...

— Mets à feu doux. Si c'est trop cuit, t'en feras du pâté. Mais je t'en supplie, m'man, dépêche-toi.

Elle ne demande pas mieux, dans le fond. Une virée avec son grand ne lui déplaît jamais, même s'il s'agit d'un voyage rapide... Elle enfile son manteau, noue un fichu sur sa tête et écrit sur une ardoise lui servant à faire ses comptes :

Nous revenons. Si vous avez faim, il y a un

reste de blanquette dans le frigo et des conserves sur le rayon d'en haut du placard.

Elle est soulagée. Nous déhotons en trombe et je vais chercher la route de Rouen là où elle se trouve.

*
* *

Ce home d'enfants, dit des Anges, est conçu pour les anges dorés. Ça m'étonnerait qu'on y découvre des petits Hindous décharnés ou des mômes de la rue de Belleville...

Oui, ça m'étonnerait. La construction est une gentilhommière normande à poutres apparentes qui se dresse au sommet d'un mamelon boisé... Une pelouse immense comme un green de golf s'étale jusqu'à la route.

Je carillonne. Un jardinier vient m'ouvrir. je demande à parler au directeur. Il m'apprend que le directeur est une directrice, ce qui n'altère pas du tout mon envie de la rencontrer, au contraire.

Guidé par le bineur de plates-bandes, je remonte l'allée sablée qui se trémousse jusqu'à la maison

Le Home est plein de ravissantes dames à moustaches (je ne vois que ça au cours de cette affaire) qui amusent des chiares en bas âge en leur faisant le coup du lapin-sauteur et du hochet à répétition... La salle de jeux est immense, propre, aérée. Ici, tout respire le luxe, l'hygiène, le bon air... Me voilà brusquement dans un jardin d'hiver qui doit être ravissant en été. Plantes vertes, jardinières, etc. C'est garni de fauteuils en fer, très romantiques, et on se croirait dans un dessin de Peynet.

La directrice radine. C'est une personne bien, blonde et savonnée, qui doit ronfler sur un traité de puériculture et qui met des gants en caoutchouc pour décacheter son courrier.

Je commence par le commencement, c'est-à-dire par lui administrer la preuve de mes hautes fonctions poulardines. Elle ne s'émeut pas.

— C'est à quel sujet ?

Je déballe de mon porte-cartes la photo de *Ciné-Alcôve* que j'ai pris soin de découper.

— Vous avez cet enfant chez vous, n'est-ce pas ?

Elle examine l'image.

— Oui, c'est le petit Johnson.

J'ai bien fait de ne pas réclamer le môme sous un blaze quelconque. En l'amenant ici, la mère Unthell l'a fait inscrire sous une identité-bidon. Dans ces crèches pour rupins, un chèque tient sûrement lieu de pièces d'identité, pour peu qu'il comporte une pétée de zéros derrière un chiffre moins circulaire.

J'en fais la remarque à la diro qui en rougit de confusion.

— Cette dame m'était recommandée par une agence américaine. Je lui ai demandé son passeport, mais elle l'avait oublié et m'a promis de l'apporter lors de...

— Bien sûr...

Elle est siphonnée par le titre de la photo.

— C'est le fils de Fred Loveme, l'acteur ?

— Vous voyez. C'est pas le tout, je suis pressé et je tiens à emmener cet enfant.

— Mais...

— Rassurez-vous, j'ai amené une nurse diplômée avec moi pour s'occuper de lui. Allez me chercher le petit !

Mon thon lui en impose, comme disait une morue dont le mari était percepteur. Elle bigle une dernière fois ma carte demeurée sur le guéridon et s'éclipse.

Moi, je jubile parce que je suis en forme. En forme de quoi ? me demanderez-vous. Eh bien, je suis en forme de flic qui tient le bon bout.

Un léger quart d'heure de quinze minutes s'écoule, retour de la directrice, escortée d'une moustachue à blouse blanche portant un bébé. Je le compare à la photo. Pas d'erreur, il s'agit bien du fils Loveme...

Je laisse mon adresse à la gardienne de futurs pauvres types pour qu'elle soit à couvert si par hasard ça se gâtait pour elle et je retourne à mon autobus.

Tête de Félicie en me voyant rappliquer avec un moutard dans les bras.

Elle rougit, pâlit, bleuit et, ayant extériorisé ainsi son patriotisme, me demande d'une voix pleine d'espoir :

— Antoine ! Ce... C'est à toi ?

Ce qu'elle va s'imaginer, m'man ! Tout de suite son côté père Noël. Elle a construit un scénario illicio. J'ai été l'amant d'une malheureuse fille. Elle est morte en donnant le jour à ce délicieux petit rouquin aux yeux de faïence. J'ai mis l'enfant au garde-meuble, n'osant révéler son existence à Félicie. Mais le remords me becquetant les entrailles paternelles (au fond du couloir en entrant, préciserait un chirurgien) je me suis décidé à lui présenter ce San-Antonio junior.

— Non, m'man, c'est pas à moi...

Son visage s'attriste.

— Dommage, fait-elle simplement. Ce serait un cadeau si merveilleux, Antoine... Avant de mourir je...

— Avant que tu meures, m'man, j'aurai peuplé douze maternités, c'est juré.

— Qu'il est mignon ! Va plus doucement.

D'instinct, je lève le pied. Et je sens un obscur enchantement forcer le blindage de mon âme.

Elle n'a pas tort, Félicie, ça serait pas plus c... qu'autre chose d'avoir à la cabane un chiare comme celui-là. Le hic, c'est qu'il faudrait également héberger la mère de l'intéressé.

Je ne comprends pas qu'on n'ait pas encore établi un rayon de bébés aux Galeries Lafayette ou au Printemps... Oui, au Printemps, tenez ! Ce serait tout indiqué. A vendre, cause départ, enfant sans pédigree ; si pas sérieux, s'abstenir...

Il est chouette, Jimmy. La tuture semble lui plaire. C'est son remplaçant qui braille, fatalement, il est italien, l'autre.

Alors la canzonetta, c'est de naissance !

CHAPITRE XVI

Avec son lardon sur les bras, Félicie ne songe plus au petit salé. C'est elle qui est aux anges, si Jimmy n'y est plus (mauvais jeu de mot intraduisible en anglais, en portugais ancien, en guatémaltèque et dans tous les langages monosyllabiques).

Béru et le coiffeur viennent de se lever et nous cherchent par toute la maison lorsque nous débarquons.

Le Gros est en corps de chemise. Ses manchettes sans bouton pendent autour de ses bras comme une peau de banane qu'on a commencé d'éplucher... Le haut de la limace n'est point agrafé, ce qui nous permet un traveling latéral sur son Rasurel. A priori, on peut estimer qu'il le porte depuis l'année de son entrée dans la police. Le jour où il décidera de l'ôter, faudra appeler l'équipe de réfection du château de

Versailles, c'est un turbin qui demande des spécialistes qualifiés.

Il ouvre un regard immense en nous voyant nantis du bambin.

— Ousque vous avez pêché ça ? demande-t-il.

Félicie se hâte d'installer le marmot sur la moquette et lui refile son moulin à légumes en guise de jouet.

— C'est une monnaie d'échange, dis-je. On va peut-être pouvoir troquer ce petit ange contre ton cétacé ; au poids, les kidnappeurs y perdront, mais en sagesse ils font un placement de... de père de famille, justement !

— Je ne comprends pas, avoue Béru.

Cet aveu n'a rien pour me surprendre. Je considère mon subordonné avec alacrité.

— Je me rends compte d'une chose, murmuré-je.

— De quoi, San-A. ?

— Tu appartiens à la famille des proboscidiens !

Il hésite, bat des cils et, devant mon air grave, décide que je dois être sérieux.

— Ça m'étonnerait, ma mère s'appelait Heurpersit, et celle de mon père était une Gougnafe-Brossée...

Félicie intervient opportunément

— Voulez-vous que je vous fasse couler un

bain ? hasarde-t-elle. Ça achèverait de vous réconforter.

Bérurier regarde autour de lui comme si ses éponges cessaient de fonctionner. Un bain ! Le dernier qu'il a pris remonte à 1937 et encore était-ce dans une fosse à purin où il était malencontreusement tombé.

— Je vous remercie, articule-t-il enfin. Mais ça ira comme ça, j'ai fait une grande toilette avant-hier.

Par contre, le coiffeur, qui n'a encore rien bonni, accepte de tenter l'expérience...

Lorsque Félicie l'a intronisé, elle s'occupe du petit salé. Paraît que, malgré sa longue cuisson, il est encore comestible. La nouvelle nous réconforte.

— Je vais faire une Blédine à l'enfant, dit-elle, alors que nous nous attablons devant un plat odorant.

— Tu crois ?

— Il me semble... Il est gentil, ce chéri...

Béru se broie une larme à même la joue.

— Verse-moi un coup de rouge, implore-t-il. J'ai pas pris de petit déjeuner et je me sens tout barbouillé.

Lorsqu'il a éclusé un godet de Saint-Amour, il demande :

— Où en sommes-nous ?

— C'est ce que je me demandais, figure-toi !

— Et tu te répondais quoi ?

— Je refaisais un tour d'horizon. Le regard braqué sur la ligne bleue des Vosges, voilà la meilleure des sécurités...

Avec les nouveaux éléments enregistrés, je crois qu'on peut résumer les choses de la façon suivante :

— La mère Unthell n'est pas venue en France pour mesurer la Tour Eiffel ou pour compter les croûtes du Louvre, mais pour kidnapper ce môme.

Je désigne Jimmy, lequel joue gentiment à faire de la dentelle avec les rideaux de moman.

— Comment peut-on être aussi cruelle ! lamente ma brave femme de mère.

— Cruauté relative, dis-je. Elle l'a tout de même confié à une boîte spécialisée tout ce qu'il y a de urf !

— Mais songe à la malheureuse maman de ce gamin !

— J'y arrive, précisément. Après le kidnapping, la malheureuse maman n'a pas ameuté la garde. Elle s'est contentée de glisser le moujingue de la femme de ménage dans le berceau... Drôle de réaction, non ?

— C'est de l'inconscience ! affirme Félicie.

— Qu'en dis-tu ? demandé-je au Gros.

Il ne peut répondre car il a les badigouinces bloquées par un excès de boustifaille.

N'ayant rien à espérer de lui, je continue.

— Ce qu'il y a de surprenant dans cette affaire, c'est que Mme Loveme a su qui lui avait embarqué sa progéniture et qu'elle n'a rien dit. Vraisemblablement elle n'a même pas prévenu son mari... M'est avis qu'elle a dû chercher une bande de malfrats pour que ceux-ci s'assurent de de la mère Unthell. Sans doute voulait-elle faire rendre gorge à cette dernière. Les types se sont gourrés, ils ont embarqué Berthe because rien ne ressemble davantage à une baleine qu'un cachalot.

Le Gros avale cinq cents grammes de bidoche d'un coup.

— Je t'en prie. Un peu de respect pour une femme qui est peut-être décédée à l'heure où nous parlons...

Et de pleurer sur ses côtes de porc qu'il ne doit pas juger assez salées.

— Bon, poursuis-je. Ils se sont aperçus de leur erreur, ont largué ta portion et se sont mis en quête de l'autre. Ils l'ont ramassée in extrémis et doivent être en train de lui chatouiller la plante des pieds avec un tisonnier rougi à blanc pour lui faire dire où est Jimmy.

— Et ma Berthe ? éructe le Mahousse.

— Ta Berthe, c'est la Jeanne d'Arc du vingtième siècle, Gros.

« Elle est retournée à Maisons voulant en

avoir le cœur net. Nos lascars l'ont remarquée, reconnue. Il se sont effrayés et l'ont enfermée dans un endroit sec pour éviter les indiscrétions.

— Tu crois qu'ils lui ont fait du mal ?

— Penses-tu ! A mon avis, ce ne sont pas des assassins. La meilleure preuve, c'est qu'une première fois ils l'ont relâchée sans la toucher.

— C'est vrai, reconnaît le Gros. Tiens, redonne-moi du chou et du lard, c't'excellent, ce truc-là !

Le coiffeur nous rejoint, briqué comme une truite de torrent.

— Vous savez à quoi je pense ? fait-il.

Comme nous répondons par la négative, il soupire :

— J'ai pas ouvert mon magasin aujourd'hui. Dans le quartier on va penser que je me suis asphyxié au gaz.

Personne ne semblant navré outre mesure de cette probabilité, il se joint à nous pour jaffer.

— En somme, demande Bérurier après avoir englouti sa deuxième brouettée de chou, tu vas aller trouver la Loveme et lui échanger son chiare contre ma femme ?

— Et contre Mrs Unthell, c'est ce que j'ai eu l'honneur et l'avantage de te dire il y a un instant...

La sonnerie du téléphone m'interrompt. M'man va décrocher.

— M. Pinaud ! annonce-t-elle.

C'est l'honorable détritus qui vient me rendre compte de sa mission.

— Donne-lui le bonjour ! crie Béru.

Et je l'entends déclarer à Félicie.

— Pinaud, c'est pas le mauvais cheval, mais il est toujours sale comme un peigne.

— Il y a des peignes qui sont propres, précise Alfred.

A sa voix, je comprends que Pinuchet est dans tous ses états. C'est pas qu'il ait beaucoup d'états, notez, à vrai dire il dispose seulement de deux. Il y a l'état normal : apathie, radotage, morne bla-bla, soucis de santé. Et puis l'état anormal, correspondant à l'état de siège de ses facultés : fébrilité, bégayage, décrochage répété du râtelier, reniflements, grattage de fesses, etc.

— Qu'est-ce qui t'arrive, ma brave vieille ?

— A moi rien, mais il est arrivé à Mrs Unthell, fait-il.

— Oh ?

— On vient de la repêcher près de l'Ile aux Cygnes...

— Morte ?

— Noyée...

Noyée-noyée ou estourbie et balancée à la tasse ?

— Noyée-noyée...

En voilà une nouvelle ! Et moi qui venais de

dire que les hommes de main de Mme Loveme n'étaient pas des meurtriers ! Tu parles ! D'ici qu'ils en fassent autant à la tendre Berthe Béru, il n'y a qu'un fossé... Un fossé dans lequel pourrait fort bien couler la Seine.

— A quoi songes-tu ? s'inquiète Pinaud.

— Tu as fait filer la Loveme ?

— Yes... Elle est allée rejoindre son mari. Je te cause d'un troquet près des studios. Qu'est-ce que tu fais ?

— J'arrive.

Accablé par une pesante méditation, je retourne à la salle à manger. Béru achève un camembert.

— Du nouveau ? demande-t-il.

— Peu de chose... du bla-bla Pinuchard.

— Faut toujours qu'il noie le poisson, ce vieux crabe, affirme le Gros.

Et de rire avec une telle force que les vitres en frémissent et que Jimmy éclate en sanglots.

Félicie prend le môme dans ses bras pour le calmer. Il cesse de chialer instantanément.

Comme c'est étrange... Je me dis que ce petit innocent a causé la mort de quelqu'un.

Ça n'a que quelques mois et ça commence déjà sa petite hécatombe.

CHAPITRE XVII

Lorsque je me pointe sur le plateau, les prises de vue de « l'Entrée du Choléra à Marseille » sont stoppées because le chef opérateur a piqué une crise de nerfs et la script s'est cassé un ongle en taillant son crayon.

Comme je fouinasse à travers la forêt de projecteurs éteints, une main toujours énergique s'abat sur le rembourrage de mon veston.

— On y prend goût, décidément, cher poulet !

C'est Larronde. Bébert arbore une chemise made in U.S.A. représentant un coucher de soleil sur une palmeraie.

— Tu te déguises en affiche saharienne ? demandé-je.

— Tais-toi, c'est un cadeau du beau Fred.

— Mince, son secrétaire l'a converti ?

— Non, mais il a été particulièrement heureux d'un écho que j'ai fait passer sur lui dans ma feuille de chou. J'ai révélé au monde qu'il était capable de boire une bouteille de Bourbon sans respirer... Comme ce n'est pas vrai, ça l'a flatté.

Il a l'art des fondus enchaînés, Larronde.

— Ça boume, ton enquête ? me demande-t-il à brûle-pourpoint.

— Ce que t'es obsédé, Bébert !

» Dis voir, j'ai entendu des figurants qui disaient que Mrs Loveme se trouvait ici tantôt.

— Exact, boy !

— Ce que j'aimerais lui être présenté... J'ai vu une photo d'elle, c'est tout à fait mon genre.

Il a une fois de plus un regard aigu, intense, qui plonge jusque dans ma conscience.

— Quand tu vous regardes commak, plaisanté-je, on a l'impression que tu vous fais un tubage d'estomac... C'est possible ou pas ?

— Arrive, bel emplumé.

Il me guide à la loge de la super-vedette.

Un ramdam terrible s'en échappe. Albert ouvre sans se donner la peine de frapper. Y a foiridon chez Loveme. Le beau gosse est vautré sur une peau d'ours, torse nu.

Des journalistes américains, glass en main, se biturent à sa santé, sous le regard mélancolique de son épouse.

Un électrophone haute fidélité concasse un chant du *Golden Gate Quartet*.

— Hello ! dit joyeusement Loveme.

Je suis peut-être le quart de la moitié d'une truffe, mais ce zig n'a rien du papa dont on a kidnappé le lardon.

Il est détendu, heureux de lui et des autres...

Il me reconnaît, me flanque un coup de poing dans les mollets et me dit de prendre un verre.

Larronde l'enjambe et me présente la belle fille sombre. Elle a du sang mexicanos plein les veines. C'est une beauté. A côté d'elle, Miss Univers est tout juste bonne à se présenter aux bureaux d'embauche de Saint-Claude, Jura.

Elle lève ses longs cils et je prends en direct son regard sombre, qui luit étrangement dans la peau mate.

— Mistress Loveme, je vous présente un confrère, dit Larronde.

Elle me sourit avec difficulté.

— Hello ! dit-elle.

Je réponds du tac au tac : hello ! ne voulant pas être en reste.

— Vous êtes journaliste aussi ? me demande la ravissante personne.

Quelle surprise ! Elle parle français presque sans accent.

— Oui, dis-je.

Et je lui exprime ma stupeur de l'entendre manier ma langue maternelle avec une telle aisance. Elle m'apprend que sa mère était canadienne, et qu'elle a fait toutes ses études à Québec.

Voilà qui facilite les choses.

Larronde reste un bout de moment à nous épier. Mais, découragé par la banalité de notre conversation, il prend un verre vide sur la table à maquillage de Loveme et se verse une rasade carabinée de *Four Roses.*

— J'aimerais écrire un magnifique papier sur vous toute seule, dis-je. Seulement ici on ne s'entend plus. Ça vous ennuierait que nous fassions quelques pas dehors ?

— Ça ne m'ennuie pas ; mais je ne tiens pas à ce qu'on écrive quoi que ce soit sur moi...

— Et pourquoi ?

— Je ne suis rien...

— Vous êtes la femme d'une célébrité.

— Et vous trouvez que c'est un but dans la vie ?

Elle me paraît fortement désenchantée, la pauvrette.

Je lui fais signe de me suivre. Naturellement Larronde nous emboîte le pas, pressentant de l'intéressant.

Je le prends à part.

— Écoute, Bébert, lui dis-je en souriant. Depuis dix ans tu écris des saloperies sur tes contemporains et t'as réussi à conserver ta gueule. C'est trop beau pour durer...

Il cherche à cacher sa déconvenue.

— Depuis que tu fréquentes des Ricains, tu te prends pour Robinson, ma parole !

— Souhaite pas que je te prenne pour sparring partner !

Avec un haussement d'épaules, il rentre se bourrer avec les autres. Moi je presse le pas pour rattraper Mrs Loveme au bout du couloir.

J'éprouve une espèce de gêne. Car c'est le genre de femme qu'on ne sait jamais très bien par quel bord attaquer. Elle peut avoir les réactions les plus imprévisibles.

— La France vous plaît ? je lui demande, manière de me foutre en salive.

Elle hoche la tête.

— A vrai dire, moins que je ne l'espérais.

— Qu'est-ce qui vous choque ?

— Ce n'est pas votre pays, mais mon état d'âme... Je traverse une période assez déplaisante, et comme je me trouve en France, j'ai au fond de moi l'impression que... Vous comprenez ?

Elle n'a pas l'air gourde, cette souris. C'est rare pour la femme d'un acteur.

— Oui, je comprends, madame Loveme.

Je crois qu'il faut porter le frère dans la plaie. Il m'en coûte de m'acharner sur une malheureuse mère qui doit souffrir le martyre.. Mais c'est en allant au fond des ruisseaux qu'on trouve des pépites...

— Parlons métier, dis-je. J'aimerais écrire un bath article que personne n'a encore songé à faire...

— Vraiment ?

— La vie familiale d'une grande vedette... Vous et votre fils, madame Loveme... Avec des tas de photos... Qu'en pensez-vous ?

Quand on la considère, vu sa peau bistre, on se dit qu'il n'est pas possible qu'elle pâlisse. Et pourtant si.

La chère ravissante personne devient couleur de cendres éteintes. Elle ferme un court instant les yeux, comme pour puiser du courage dans la nuit de son être (joli, non ? Je deviens académique. Qu'est-ce qu'ils foutent chez les Dix au lieu de me balancer le Goncourt ? Ils sont là à se démantibuler la cervelle et à user leurs bésicles pour dégauchir le bouquin le plus chiatoire de la saison, et ils ont à portée du téléphone un garçon talentueux, bourré d'idées à changement de vitesse, doté d'un style percutant, dont les images font mouche puisqu'il est de la poule ! Enfin, le jour viendra fatalement où l'on consacrera mon génie, sinon y aurait pas de justice).

Il me semble que Mrs Loveme va partir dans les quetsches.

Seulement cette femme est comme

La Bruyère · elle a du caractère. Lorsqu'elle rouvre ses belles châsses ardentes, elle est d'un calme souverain.

— C'est une très bonne idée, en effet, dit-elle. Seulement je vais m'absenter quelques jours. Voulez-vous que nous prenions rendez-vous pour la semaine prochaine ?

— Hélas, j'ai promis à mon journal un article sensas pour demain...

— Impossible, je m'en vais tout à l'heure.

Court silence. C'est la reprise. Je continue mon machiavélisme.

— Tant pis, madame Loveme... Je ferai donc un Fred Loveme et son fils...

Si j'étais en pantoufles, je m'administrerais des coups de pied au der. Cette fois, elle est obligée de s'appuyer au mur.

— Non. Laissez mon petit tranquille, dit-elle sourdement.

Je me réunis d'urgence pour une conférence au sommet et je me tiens le raisonnement suivant, traduit immédiatement en patois dauphinois et en argot de la Villette : « Mon San-Antonio joli, tu es célèbre pour ton sens aigu de la psychologie. Si tu es digne de ta réputation, tu vas confesser cette fille en moins de temps qu'il n'en faut à Bérurier pour proférer une connerie. »

Ayant ainsi pensé, je procède au vote. Mon ordre du jour est adopté à la majorité absolue.

— Voyez-vous, madame Loveme, en France, nous avons un proverbe qui doit certainement avoir son équivalent aux States et qui prétend que le silence est d'or. Moi, je prétends que c'est un gros bobard. Si le silence régnait sur notre planète, d'accord nous aurions évité Aznavour, mais nous aurions raté Mozart, et c'eût été bien dommage...

En ce moment je mets en pratique la théorie 314 grand B du parfait pêcheur à la ligne. C'est-à-dire, je noie le poiscaille. Je trouble sa pensée comme on trouble le pastis le plus pur en y versant quelques gouttes de flotte.

— Je croyais que le kidnapping était puni de mort aux États-Unis ? susurré-je en la biglant.

On dirait qu'elle vient d'empoigner un fer à repasser par le mauvais côté.

— Que voulez-vous dire ?

— Vous le savez bien. Une certaine Mme Unthell a kidnappé votre petit Jimmy... Puis elle a elle-même disparu et on l'a retrouvée noyée tout à l'heure.

Elle s'accroche à mon bras.

— Morte ! Mrs Unthell est morte, dites-vous ?

— Je tiens son cadavre à votre disposition. Voulez-vous me faire croire que vous l'ignoriez ?

Elle n'a pas besoin d'opiner. Sa stupeur est éloquente. J'hésite un instant. L'endroit est mal choisi pour une explication à grand spectacle. D'autant plus que cette jeune femme est à bout de nerfs et qu'elle risque à tout moment de piquer une crise de nerfs. J'aurais l'air finaud si ça se produisait !

— Venez avec moi ! dis-je...

— Où ? a-t-elle la force de soupirer.

— Chez moi... N'ayez pas peur...

***

Le coiffeur est allé ouvrir in extrémis sa boutique, histoire de faire la fermeture. Et puis, un coiffeur ne peut passer une journée complète sans lire *l'Équipe,* même si sa maîtresse a été retirée de la circulation comme un vulgaire billet de cent sous. Béru redort... Maman fait la toilette de Jimmy.

Voici l'emploi des différents protagonistes de mon présent lorsque j'arrive à Saint-Cloud, soutenant une Mme Loveme ravagée par le désespoir.

Venant de la salle de bains, la voix de m'man. Félicie chante « Les Petits Bateaux » et le gars Jimmy en gazouille de plaisir. Il ne comprend pas encore le français, il ne comprend pas l'homme du tout d'ailleurs et heureusement pour lui, mais il sent qu'on est bien avec Félicie...

— Entrez ! dis-je à ma compagne.

Elle fait un pas dans l'encadrement, avise son chiare, pousse un grand cri et se précipite sur lui.

Inutile de vous décrire la scène, ça vous ferait chialer et le temps est assez humide comme ça

Je laisse se dérouler la grande scène finale du Calvaire d'une mère. Puis je ramène Mme Loveme à des réalités.

Pour cela, je joue franco et je lui bonnis toute l'affaire par le menu. Et il est pas menu, le menu...

— Maintenant, c'est à vous de jouer, dis-je. C'est comme une formule de bon de commande, il suffit de remplir les blancs.

Elle est tellement joyce qu'elle répond à mes questions sans y prendre garde, en pressant son enfant chéri contre sa poitrine qu'on aimerait chérir.

Je pourrais vous relater bribe par bribe notre conversation, mais vous êtes tellement cloches que vous auriez du mal à me filer le train, mieux vaut donc résumer pour vos cerveaux sans phosphore.

Dégagez la piste de vos consoles à lunettes et esgourdez, mes bonnes gens.

Oyez *the story of two poor women made in U.S.A.*

La brume, la piquante, la tentante, l'exaltante, la séduisante, l'envoûtante Mrs Loveme a décroché en apparence seulement la timbale en épousant the *big actor* que vous savez. C'est une tendre, une sentimentale, or Loveme est une brave petite bête, pas méchante, qui passe sa vie à vider des flacons de Quatre Roses et à calcer les filles qui viennent lui faire dédicacer des tickets d'autobus. Ça l'a rendu poinçonneur en diable... Sa femme en a beaucoup souffert, jusqu'au jour où elle a rencontré un petit zig à la chevelure romantique qui lui a récité les romances qu'elle attendait.

Le quidam que je vous cause n'était autre qu'Unthell. Et ce petit dessalé, tout romanesque qu'il est, avait néanmoins épousé une dame qui aurait pu être sa mère aisément et sa grand-mère en se forçant un peu le bulletin de naissance. Il a dû parler de sa vie gâchée à Mrs Loveme pour se la faire à l'embellie. Ça a rendu... Amours, délices, mais sans orgues because ils étaient respectivement marida à une montagne de flouze.

Les amants ont imprudemment échangé des lettres tellement enflammées que l'incendie a attiré l'attention de la mère Unthell.

Elle a eu connaissance fortuitement d'une bafouille éloquente.

Gros drame. Elle tenait à son mari de garderie… Elle voulait pas se le laisser piquer par une beauté fameuse…

Alors elle a entrepris ce voyage en France pour régler la question with Mrs Loveme. Entrevue orageuse… Mais sur terre lointaine on se déboutonne plus volontiers.

Elle a exigé que la femme de Fred rompe avec le jeune époux. Mrs Loveme l'a expédiée sur les roses. La grosse mère Unthell s'y est piqué les Dunlopilo et elle a usé des grands moyens. Rapt de Jimmy. Dès qu'elle a eu planqué le mouflet, elle a téléphoné à sa jeune rivale pour l'avertir que l'enfant lui serait rendu lorsqu'elle aurait la certitude de la rupture avec son petit bonhomme.

Ça paraît puéril, mais vous le savez, les ricaines n'ont pas toutes l'intelligence de Jean Cocteau. Faut essayer de nous mettre à leur place, un instant seulement avant que nos cerveaux s'enrhument because les courants d'air…

Elle exigeait pour commencer une lettre d'elle par laquelle elle aurait reconnu que le gars Unthell était le vrai père de Jimmy. Vous mordez la situation ? Corneille reviendrait, aussi sec il foutrait ça en alexandrins !

Mrs Loveme s'est confiée à la gente Estella. Et ma petite Suissesse lui a remonté le moral. Au lieu de céder, Mrs Loveme s'est battue. Pour commencer, les deux femmes ont trouvé un remplaçant à Jimmy. Ensuite elles sont allées trouver un cousin à Mrs Loveme qui travaille au Shape en qualité de civil. Le mec qui a un esprit of family à tout casser, a bien voulu se mouiller pour la cousine. Il a déniché deux têtes brûlées pour embarquer la mère Unthell et lui faire dire où elle avait planqué Jimmy. C'est là que la fatale erreur s'est produite...

Ils se sont gourrés et ont kidnappé la baleine à Béru... Le cousin s'est aperçu de la bévue et on a libéré la Gravosse. Ensuite, course à la mort pour repiquer la vraie mâme Unthell... Voir Orly...

Elle a suivi le type qui la réclamait sous un fallacieux prétexte, le zig s'étant fait passer pour un envoyé de l'ambassade U.S.A. Mais quand elle a compris qu'il s'agissait d'un enlèvement, la vioque s'est fait la malle à un feu rouge, en plein Paname, et les mecs qui s'occupaient d'elle n'ont pas pu la récupérer...

Voilà la version de mon interlocutrice. Elle est abasourdie par la mort de Mrs Unthell et ne pige pas ce qui a pu se passer.

— Vous n'avez pas eu de ses nouvelles dans l'intervalle ? demandé-je.

— Si. J'ai reçu une lettre d'elle ce matin. Elle me demandait cinquante mille dollars en échange de l'enfant. C'est pour les obtenir de mon mari que j'étais allée au studio.

C'est à mon tour de faire l'œuf.

Je perds un peu les pédales, comme dirait Charpini.

Voyons, si je récapitule bien : la mère Unthell, il y a trois jours, se fait embarquer à Orly. Elle suit sans méfiance l'homme de main du cousin du Shape. Puis elle pige qu'on lui joue un vilain tour et, à la faveur d'un feu rouge, s'échappe. Au lieu de retourner à l'aéroport ou à son hôtel, la vieille reste planquée... Elle écrit une lettre demandant une rançon en fric alors qu'elle a monté ce kidnapping pour une rançon morale... Et puis elle se noie... Merde, dirait Ubu. Je ne sais plus pour quelle maison je voyage.

L'arrivée du Gros, vidé de sommeil, me rappelle un autre aspect de la question.

— Et l'autre femme ? La première, celle que vos bonshommes ont arrêtée par erreur ?

— Elle est retournée à la maison car elle s'était repérée. Elle a dit à Estella qu'elle faisait partie de la police...

— Par alliance, c'est exact, déclaré-je.

— Qu'est-ce qui se passe ? demande la gonfle en se curant les dents avec une aiguille à tricoter de Félicie.

— Moule-nous, tu veux ! l'interromps-je.

Il déballe d'une dent creuse des trucs improbables.

— Qu'a fait Estella ?

— Elle a prévenu Steve, mon cousin... Et ils ont emmené la dame dans un endroit tranquille jusqu'à ce que j'aie retrouvé mon Jimmy...

— Où est-ce ?

— Je ne sais pas... Je crois, Saint-Germain-en-Laye !

Je me lève, des fourmis plein les cannes.

— Bon. Vous allez téléphoner d'ici à votre cousin, pour lui dire que l'enfant est retrouvé et qu'il tienne la pensionnaire à notre disposition. Vous accompagnerez monsieur jusqu'à l'endroit où elle est séquestrée. Pendant ce temps, ma mère continuera de s'occuper du petit. Rassurez-vous, il est en complète sécurité ici.

Allez, au travail... Ça n'est pas encore fini, ces salades...

Lorsque Mrs Loveme a bigophoné à son cousin, je la reprends en main pour un complément d'informations.

— Tout va bien ?

— Oui... Je voudrais savoir, monsieur, si tout ceci aura des suites fâcheuses ?

— Hum, ça dépend... Vous avez la demande de rançon sur vous ?

Elle ouvre son sac. Sort sa minaudière. A l'intérieur de la boîte d'écaille, sous la houppette, se trouve une feuille de papier. C'est écrit en anglais, caractères d'imprimerie.

— Traduisez !

Elle lit :

— *Si vous voulez retrouver qui vous savez, remettez cinquante mille dollars aux bonnes œuvres pour la pénitence de vos péchés. Je préviens une congrégation religieuse de votre don. Elle enverra quelqu'un en fin d'après-midi pour le prendre. Lorsque je serai informée que celui-ci s'est accompli, je vous téléphonerai pour vous dire où est J.*

Mrs U.

— J'ai fait une traduction un peu littérale, s'excuse ma compagne.

Je gamberge. Le Gros s'impatiente. Depuis qu'il sait que son cétacé est en bon état et qu'il va être rendu à ses eaux territoriales, il ne se sent plus.

— On y va, oui ! grogne-t-il. J'en ai classe de laisser poireauter cette pauvre petite Berthe ! Toutes ces giries amerlock, moi, elle me battent les...

— Madame Loveme, coupé-je, dès que cet individu aura récupéré son lot de chasse, rentrez à votre hôtel ; je vous y attendrai. Vous récupérerez votre enfant lorsque tout sera terminé.

Lorsque le Gros et la maman de Jimmy se sont barrés, je me tourne vers ma Félicie.

— Que penses-tu de tout cela, m'man ?

Elle a l'œil en barreau de cellule, ma brave femme de mère.

— Je suis heureuse de savoir qu'il n'est rien arrivé de fâcheux à Mme Bérurier. Heureuse aussi que cette pauvre femme ait retrouvé son petit...

Grosses bibises sur le museau du gamin.

— Et cette Mrs Unthell, qu'en dis-tu ?

— Franchement, je crois que c'était une folle...

— Moi aussi. Son comportement est extravagant. Veux-tu que je te dise ? Quand elle a vu qu'on l'embarquait, elle a dû croire qu'elle avait affaire à des flics. Pour éviter le scandale, elle s'est foutue à l'eau, mais, auparavant, elle a voulu donner une pénitence à la femme de Loveme. Ces cinquante mille dollars équivalent à trois paters et trois ave !

— Oui, murmure maman, c'est sûrement ça. Voilà ce que c'est d'épouser un homme trop jeune...

Là-dessus, Jimmy demande pipi, mais en anglais de Los Angeles, si bien que Félicie ne réussit à traduire qu'une fois que son beau parquet a été arrosé.

CHAPITRE XVIII

— Tout s'est bien passé ?

— Oui. Votre ami a dit qu'il rentrait chez lui avec sa femme et que vous pourriez l'appeler.

Ça se passe à l'hôtel de Mrs Loveme. Il est six heures et elle vient de rentrer.

— Montons à votre appartement, dis-je.

Elle va quérir sa clé et me rejoint à l'ascenseur. Elle crèche au dernier étage. De ses fenêtres, on voit presque tout Paris, ruisselant de lumière... L'appartement se compose d'une antichambre, d'une chambre et d'un salon muni d'une cheminée Louis Truc.

— Je vous sers un verre ? demande-t-elle.

— Volontiers. Vous permettez que j'use de votre appareil ?

Je tube aux Béru. C'est la Gravosse qui décroche. A peine a-t-elle reconnu ma voix qu'elle en a marre ; mugit que ça ne se passera pas comme ça ; tonitrue que nous sommes des enviandés de flics ; vocifère qu'elle va aller de ce pas à la rédaction des grands baveux ; le tout en administrant des tartes à son Bibendum qui tente de la calmer.

— O.K., Berthe, fais-je. Allez poser à la grande vedette auprès de messieurs les tartineurs de miel. Je vous fous mon bif que c'est vous qui aurez l'air noix.

— Quoi ! Vous dites !

— Je dis que vous en avez remis dans votre histoire... Jamais vos ravisseurs ne vous ont chloroformée ni bandé les carreaux. Savez-vous pourquoi ? Tout bonnement parce qu'ils vous ont pris pour quelqu'un ayant opéré un rapt dans la maison où ils vous conduisaient ! Alors, pas la peine de jouer Fantômas à prix de faveur pour faire goder les coiffeurs de votre quartier... Parbleu, vous étiez certaine de la reconnaître, la crèche, puisque vous l'aviez vue... Occupez-vous de votre frichti et lavez la Rasurel du Gros, ça vaudra mieux que de faire l'intéressante, croyez-moi.

Je raccroche avant qu'elle ait trouvé son second souffle.

Mme Loveme m'attend avec un verre de rye à chaque main. Le bonheur la transfigure.

— Vous êtes un homme, vous, au moins, dit-elle.

Du coup, je lui file mon regard à amorce

renforcée. Pardon, qu'est-ce à dire ? Vous me causez, duchesse ?

Je cramponne un des deux verres — çui de la patte gauche qui est la main du cœur.

— Je bois à votre bonheur, Mrs Loveme...

— Au vôtre ! dit-elle.

M'est avis que ce pourrait être le même, du moins pour un moment ! Mais je ne lui fais pas part de ce point de vue, elle risquerait de s'en formaliser... D'ailleurs, j'ai mon turbin de poulet à faire. Et ce turbin me force à vérifier certaines choses. La première, c'est qu'elle ne m'a pas monté un croiseur de ligne avec la soi-disant lettre de la mère Unthell.

Vous voyez pas qu'elle ait aidé la vioque à faire trempette et qu'elle ait monté ce turbin pour se couvrir ? Ça me paraît improbable, mais l'improbable, c'est ce qui arrive le plus souvent.

— Je suis dans un rêve, fait-elle.

De plus, le drink lui met des couleurs aux joues. Les couleurs de l'espoir, comme dit Vatfère Aimé, le grand poète (un mètre quatre-vingt-dix) du siècle.

Le bignou grelotte. Ma compagne décroche.

— Allô ?

Elle écoute, fronce les sourcils. Puis, posant la main sur l'émetteur, me dit :

— Il paraît qu'une religieuse est en bas, qui

me demande. Ce... c'est pour la fameuse rançon ?

— Sans doute, dis-je. Faites monter...

Elle donne ses instructions, raccroche et reste immobile, troublée.

— C'est très fâcheux, soupire-t-elle. Je... Ces religieux auront eu une fausse joie. J'ai envie de leur remettre un peu d'argent tout de même, non ?

— A votre bon cœur...

Elle inventorie son sac, prend cinquante mille francs et les introduit dans une enveloppe.

A cet instant, on sonne.

— La voilà, chuchoté-je. Je me cache dans la salle de bains...

Mrs Loveme va ouvrir. Une religieuse entre. Par une enfilade de lourdes entrouvertes, je l'aperçois. Elle est très âgée, la vénérable personne. Elle s'avance et se met à jacter en anglais... Elles sont bilingues, cette année, les nonnes !

A toi de jouer, San-Antonio.

J'apparais dans toute ma gloire.

— Hello ! révérende Miss Tinguett. Vous marchez à la voile, maintenant ? A quel ordre séculier appartenez-vous donc ?

Soubresaut de la religieuse. Elle fouille son ample poche à collecter les aumônes, et en sort un pétard

— C'est déjà l'heure du chapelet, dis-je.

— Money ! fait sèchement la secrétaire de feu la mère Unthell.

En tremblant, Mrs Loveme tend l'enveloppe.

La petite vioque la déchire avec ses dents et regarde l'intérieur. Grimace.

Elle dit sèchement à ma compagne que le moment n'est pas à la plaisanterie. Il lui faut cinquante papiers, mais elle les veut imprimés en vert...

Pendant sa vitupération, je tire des plans sur la comète. Entre la nonne-bidon et moi, il y a une table avec un vase de fleurs. Le temps d'y penser, et la petite sœur moule le cristal de roche sur la tronche. J'y suis allé rapidos. Elle tombe out. Elle n'a même pas eu le temps de tirer...

*
* *

En attendant l'arrivée des archers qui vont enchrister la religieuse, j'interviewe icelle. Bonne âme, Mrs Loveme lui bassine la coquille avec un linge mouillé.

Sa confession est brève. Elle la fait d'autant plus facilement qu'elle porte un vêtement propice à la pénitence.

Après avoir échappé à ses ravisseurs, la mère Unthell a dragué dans Pantruche, fort désemparée. Puis elle a essayé de téléphoner à l'hôtel en espérant que sa secrétaire y serait revenue. Miss Tinguett venait d'y redébarquer. Elle a pigé le parti qu'elle pouvait tirer de la situation... Car elle savait tout de l'affaire Jimmy.

Cette vieille morue a conseillé à sa patronne de ne pas se montrer. D'après elle, ce devait être la police qui l'avait appréhendée. Elle lui a placé un rancard au bord de la Seine pour, prétendait-elle, ne pas être repérée, tu parles, Charles !

Un coup d'épaule... Et bien le bonjour Mme Bertrand ! Plus de Mrs Unthell ! La grosse a coulé comme un tas de saindoux. Il ne restait plus à la perfide petite pie qu'à monnayer Jimmy. L'idée de faire verser la rançon sous forme de don à une congrégation religieuse était géniale, car elle amenait à penser que sa patronne avait écrit cela avant de se détruire...

Pas mal, non ?

C'est l'illustrissime Pinaud qui embarque la sainte femme, aidé de Boirond, un nouveau du service.

Me revoici seul avec Mrs Loveme.

— Si vous n'aviez pas été là..., soupire-t-elle.

— D'accord, fais-je. Seulement voilà, j'y étais...

Et comme les héros ont toujours droit à une récompense, je m'avance sur elle, la bouche à la Craque Câble.

Elle ne dit pas oui.

Elle ne dit pas non non plus...

Elle laisse flotter les rubans.

Et je vous parie un jour de bonheur contre un bonheur du jour qu'elle commence à trouver la France belle, Mrs Loveme.

En l'étreignant, je me fredonne la *Marseillaise...*

Ça aide !

CONCLUSION

Le lendemain, aux aurores, Félicie vient me tirer des toiles.

— Antoine, le téléphone !

— Qu'est-ce que c'est ? geins-je.

— M. Bérurier...

— Encore.

Je me lève en ronchonnant et je vais au tube.

Le Gros est en larmes.

— San-A., Berthe est encore partie ! Mais cette fois je crois bien que c'est avec le coiffeur, il n'a pas ouvert ce matin !

FIN

ACHEVÉ D'IMPRIMER LE
25 AVRIL 1977 SUR LES
PRESSES DE L'IMPRIMERIE
BUSSIÈRE, SAINT-AMAND (CHER)

— N° d'impression : 1910. —
Dépôt légal : 3e trimestre 1977.

Imprimé en France

PUBLICATION MENSUELLE